암흑의 핵심

Heart of Darkness

세계문학전집 7

암흑의 핵심

Heart of Darkness

조지프 콘래드

이상옥 옮김

민음사

차례

1장

    쌍돛대 유람선 넬리호는 돛이 펄럭이지 않았고 닻을 내린 채 이리저리 흔들리다가 멎었다. 밀물이 들어오고 있었는데 바람은 거의 불지 않았다. 그러니 강 하류로 내려갈 예정이던 배는 정박한 채 조수가 썰물로 바뀔 때를 기다리는 수밖에 없었다.

    템스강 하구 쪽으로 뻗은 바다가 끝없는 수로(水路)의 시작처럼 우리 앞에 펼쳐져 있었다. 저 멀리 바다와 하늘은 이음새도 없이 이어져 있었다. 그 환한 공간에서 밀물을 타고 상류로 밀려가던 거룻배들의 그을린 돛은 꼭지가 뾰족한 붉은 캔버스 천의 집합체들을 이루어 가만히 정지해 있는 것처럼 보였고, 돛의 끝부분을 비스듬히 잡아당기는 막대에서는 니스칠이 번쩍였다. 아득히 사라지는 평지처럼 바다로 뻗은 나직한 강기슭에 엷은 안개가 깔려 있었다. 그레이브스엔드[1]의 하늘은 어두웠고, 그 너머 더 먼 하늘은 애절한 어둠으로 응축된 채 이 세상에서 가장 크고 가장 위대한 도시를 가만히 덮고 있었다.

여러 회사의 중역을 겸하는 이가 우리 배의 선장이요, 우리를 초대한 주인이었다. 그가 뱃머리에 서서 바다 쪽을 지켜보고 있을 때 우리 네 사람은 그의 등을 정겹게 바라보았다. 강을 두루 살펴보아도 선원다움에서 그와 필적할 만한 사람은 없었다. 그는 선원들에게 신뢰의 화신(化身)으로 여겨지는 수로(水路) 안내원을 연상시키는 인물이었다. 그러므로 그의 직장이 그 훤한 하구에 있지 않고 그의 등 너머 어둠이 덮고 있는 지역에 있다는 사실을 실감하기가 어려웠다.

내가 이미 어디선가 말한 대로 우리 사이에는 바다에서의 삶이 맺어 준 결속감이 있었다.[2] 이 결속감은 우리가 오래 헤어져 지내는 동안에도 마음으로는 서로 뭉쳐 있게 해 주었고, 우리끼리 주고받는 이야기라든가 심지어 개인적 신념의 피력까지 서로 참고 들어 주게 하는 효능이 있었다. 가장 멋진 늙은이였던 변호사는 나이가 지긋한 데다 여러 면에서 덕이 있었기 때문에 갑판 위에 하나밖에 없던 쿠션을 차지하고 역시 하나뿐이던 융단 깔개 위에 누워 있었다. 회계사는 어느새 상자에서 도미노를 꺼내 골패들을 가지고 집짓기 놀이를 하고

---

1) 템스강 하구의 남안에 있는 도시.
2) 『암흑의 핵심』보다 앞서 발표된 중편 소설 「청춘」에서 1인칭 서술자 말로는 결속감이라는 선원 정신을 찬미했다.

있었다. 말로는 고물 쪽의 뒷돛대에 기댄 채 책상다리를 하고 앉아 있었다. 뺨이 우묵하고 안색이 누런 그는 허리를 꼿꼿이 펴고 있었고 금욕주의자 같아 보였다. 그리고 그가 팔을 아래로 떨어뜨린 채 양손을 밖으로 펼치고 있는 모습은 우상(偶像)을 연상시켰다. 중역은 닻이 단단하게 내려져 있는 것을 확인하고 나서 고물 쪽으로 오더니 우리 사이에 끼어 앉았다. 우리는 부질없는 말을 몇 마디 주고받았다. 그러자 요트 갑판에는 침묵이 감돌았다. 무슨 이유에서인지 우리는 도미노 게임을 시작하지 않았다. 우리는 명상에 잠기고 싶은 기분이었고, 조용히 응시할 뿐 아무 일도 벌이고 싶지 않았다. 고요하고 오묘한 빛이 평온히 펼쳐진 가운데 하루가 저물고 있었다. 강물은 평화롭게 빛났고 구름 한 점 없는 하늘은 티없이 온화한 빛의 거대한 덩어리였다. 밝은색 거즈 천 같은 에식스 늪지대의 안개가 숲이 우거진 내륙의 구릉에 걸린 채 반투명한 주름처럼 낮은 해안을 덮고 있었다. 서쪽으로 상류의 강기슭을 덮고 있던 어둠만이 마치 다가오는 태양에 화가 난 듯 시시각각 더 음침해졌다.

이윽고 곡선을 그리며 눈에 띄지 않게 기울어지던 태양은 나직이 떨어져 이글거리던 백열 상태에서 빛도 열기도 없이 탁하기만 한 붉은색으로 변했는데 마치 한 무리의 사람들을 덮고 있던 어둠의 감촉에 질려 사색(死色)이 된 채 갑자기 사라지려는 것 같았다.

이내 강물에도 변화가 찾아와 평온함이 차츰 퇴색하고 점점 더 심오해졌다. 넓게 뻗친 유서 깊은 강은 여러 시대에 걸쳐 양쪽 둑에 살던 사람들을 위해 훌륭히 봉사한 후 이제 날이 저물자 아무 동요 없이 휴식에 들었고 이 세상의 가장 먼 곳까지 통하는 수로로서 고요한 위엄을 보이며 펼쳐져 있었다. 우리는 이 존엄한 강물이 하루 동안 찾아왔다가 영영 사라지고 마는 짧은 날의 생생한 열기가 아니라 영원히 지속되는 기억이라는 장엄한 빛 속에 잠겨 있는 것을 바라보았다. 사실 경외심과 애정을 가지고 시쳇말로 "바다를 쫓아다니던" 사람들에게는 템스강 하류에서 과거의 위대한 정신을 환기하는 일보다 더 쉬운 것이 없다. 조수는 많은 선원들과 선박들이 더러는 고향에서 안식하고 더러는 바다에서 투쟁을 벌일 수 있도록 운반해 준 기억을 잔뜩 실은 채 끊임없이 밀려들었다 빠졌다 한다. 또 조수는 오늘날 온 국민이 자랑스러워하는 사람들을 모두 잘 알고 있었고 그들을 위해 봉사했다. 바로 프랜시스 드레이크[3]에서 존 프랭클린[4]에 이르는 사람들인데, '써(Sir)'라는 정식 기사 훈위(勳位)야 있건 없건 그들은 모두 바다의 떠돌이 기사였던 셈이다. 또 조수는 세월의 밤 속에서 지금까지도 보석처럼 명성을 빛내고 있는 모든 선박들을 움직이게 해 주었다. 바로 선복(船腹) 가득 보물을 싣고 귀국한 후 여왕 폐하의 방문까지 받고 끝내 그 혁혁한 이야기에서 사라져 버린 골든하인드호를 비롯해 또 다른 정복의 길에 나섰다

---

3) 16세기의 영국 해군 제독으로 스페인의 무적함대를 격파했고, 골든하인드호를 타고 항해한 적이 있다.
4) 19세기 영국 탐험가이며 1845년에 에레버스호와 테러호를 이끌고 서북항로 탐색에 나섰다가 실종되었다.

가 결국 돌아오지 못하고 만 에레버스호 및 테러호에 이르는 선박들이다. 조수는 참으로 여러 척의 배와 많은 선원들을 알고 있었다. 그들은 데트포드와 그리니지, 에리스에서 출항했는데 더러는 모험을 하기 위해, 더러는 식민지에 정착하기 위해 떠난 사람들이었다. 정부의 배도 있었고 거래소 상인들의 배도 있었다. 선장들, 제독들, 동인도 회사의 무역 독점권을 침해하면서 동방 무역을 하던 밀수꾼들, 동인도 선단에 임관된 이른바 '장군'들도 있었다. 금을 찾거나 명성을 찾아 저 강물을 타고 떠나던 그들은 칼을 차고 있었고 더러는 횃불을 들기도 했는데 모두 육지에서 무력을 휘두르는 사도(使徒)가 되거나 성화(聖火)의 섬광을 전하기 위함이었다. 얼마나 위대한 것들이 저 강의 썰물을 타고 아직 알려지지 않은 땅의 신비를 찾아 떠내려갔던가! ……사나이들의 꿈이니 여러 국가의 씨앗이니 여러 제국의 새싹이니 하는 것들이.

해가 졌다. 강물에 어둠이 내리고 강변에 등불이 나타나기 시작했다. 진흙 평지에서 세 개의 기둥에 의지해 꼿꼿이 서 있던 채프먼 등대가 강한 불빛을 냈다. 항로를 따라 배의 등불이 움직이고 많은 등불이 어지럽게 오르내렸다. 그리고 더 멀리 서쪽 상류의 강기슭에 그 괴물 같은 도시가 위치한 곳이 아직도 하늘에 불길하게 표시되어 있었다. 해가 있을 때는 음침한 그림자로 덮여 있더니 별빛 아래서는 오히려 수상쩍은 빛이 훤하게 비치는 것이었다.

"그런데 이 땅도 한때는 이 지구의 어두운 구석 중 하나였겠지." 갑자기 말로가 입을 열었다.

우리 일행 중에서는 오직 말로만이 여전히 "바다를 쫓아다니고" 있었다. 우리가 그에 대해 할 수 있는 최악의 험담은 그가 전형적인 선원이 아니라는 것 정도였다. 그는 선원이었지만 동시에 방랑자이기도 했다. 대부분의 선원들은, 이런 말을 써도 좋을지 모르겠으나, 주거처가 일정한 생활을 한다. 그들은 집에 머물러야겠다고 마음먹는다. 그들의 집은 늘 그들과 함께 있으며 그것은 바로 그들의 배이다. 그들의 고향 또한 늘 그들과 함께 있으니 그것은 바로 바다이다. 모든 배들은 서로 아주 비슷하고, 바다는 늘 같은 바다이다. 그들을 둘러싼 환경은 변하지 않지만 이역(異域)의 해변, 이방인의 얼굴, 늘 변하기만 하는 엄청난 삶 같은 것들은 어떤 신비감에 가려지지 않고 오직 약간은 경멸적인 무지에 가려진 채 미끄러지듯 지나간다. 왜냐하면 선원에게는 바다 자체 말고 그 어느 것도 신비롭지 않기 때문이다. 바다야말로 그의 삶을 지배하는 주인이고 인간의 운명만큼이나 속을 들여다볼 수 없다. 그 나머지 것으로 말하자면, 선원이 근무 시간 이후 상륙해서 별생각 없이 산책하거나 흥청거리기만 해도 한 대륙의 비밀쯤은 모두 알아내기에 족하다. 그러나 일반적으로 그는 그런 비밀을 알 가치가 없다고 여긴다. 선원들이 늘어놓는 이야기는 직설적이고 단순해서 모든 의미가 마치 견과류의 금이 간 껍데기 속에 들어 있는 것 같다고 할 수 있다. 그러나 이야기하기를 즐기는 성향을 뺀다면 말로는 전형적인 선원이라고 할 수 없었다. 그가 보기에 한 가지 에피소드의 의미는 견과류의 씨처럼 껍데기 속에 들어 있지 않고 바깥에서 그 이야기를 둘러싸고 있었다. 즉 그 이야기는 마치 이글거리는 빛이 일종의 옅은 안개를 이끌어 내듯이 그 의미를 이끌어 낼 뿐이며, 그것은 달빛이 허깨비처럼 비칠 때 이따금 드러나는 흐릿한 달무리 중 하나에 비유될 수 있었다.

말로가 한 말은 전혀 놀랍게 들리지 않았다. 말로다운 말이었다. 우리 일행은 그 말을 침묵으로 수긍했다. 누구 한 사람 "음." 하며 불평하는 소리조차 내지 않았다. 이내 그가 아주 나직한 목소리로 말했다.

"아주 옛날 옛적을 생각하고 있었네. 1900년 전에 로마인들이 처음으로 이곳을 찾아왔던 것 말일세. 엊그제 있었던 일 같다고 할까⋯⋯. 그때부터 이 강에서는 빛이 비쳐 나왔어. 빛이 아니라 기사들이 나타났다고.[5] 그래. 하지만 그 빛은 평원을 휩쓰는 불길 같고 구름 속에서 번뜩이는 번개 같지. 지금도 우리는 그 번뜩이는 빛 속에서 살고 있어. 이 지구가 계속 굴러가는 동안은 그 빛도 영원히 지속되어야 할 테니. 그러나 예전에는 이곳도 암흑이 덮고 있었어. 한번 상상해 보라고. 노가 세 겹으로 달려 있던 그 배 이름이 뭐더라? 그 멋진 지중해 함정의 지휘관이 별안간 북쪽으로 올라가라는 명령을 받았을 때 심경이 어땠을지 상상이 돼? 더러는 육로로 오늘날의 프랑스 지방을 가로질러 북상하라는 명령을 받았을 테고 또 더러는 이 함정들을 한 척씩 떠맡았을 거야. 책에 적힌 내용을 믿을 수 있다면, 고대 로마 군단(軍團)은 솜씨가 좋은 사람

---

5) light(빛)와 knight(기사)의 운(韻)이 같아 교묘히 말장난을 하고 있다.

들로 구성된 놀라운 집단이었던가 봐. 함정들을 한두 달 만에 수백 척씩 건조했다니까. 그런 지휘관이 이곳에 왔었다고 상상해 봐. 당대 사람들에게 지구의 끝으로 여겨졌을 곳에 말이야. 바다는 납빛이요, 하늘은 연기색인데 견고하기가 겨우 육각(六角) 아코디언에나 비교될 수 있는 선박에 보급품이니 주문품이니 뭐니 하는 것들을 싣고 이 강을 거슬러 올라갔을 것 아닌가. 모래톱, 늪, 숲, 야만인 같은 것들이 있었을 뿐 문명인들이 먹을 만한 것은 아주 귀했고 마실 것이래야 템스강 물밖에 없었을 것 아닌가. 이곳에 팔레르노산(産) 포도주가 있었을 리 만무하고 강둑으로 상륙할 수도 없었을 거야. 여기저기 밀림 속에 로마군의 야영지가 있었겠지만 건초 다발 속에 떨어진 바늘만큼이나 찾아내기 어려웠을 것 아닌가. 도처에 추위, 안개, 폭풍우, 질병, 유배(流配), 죽음밖에 없는데, 허공에서, 물속에서 그리고 숲속에서 죽음이 넘보고 있었을 거야. 그래서 이곳에서는 인간의 목숨이 틀림없이 파리 목숨 같았을 거야. 아무렴 그랬겠지. 그 지휘관은 해냈어. 해내도 아주 훌륭히 해냈다는 것을 의심할 수 없어. 그는 훗날 자기가 한창 시절에 겪은 일들을 자랑할 수 있었겠지만, 이곳에 주둔하고 있을 때에는 별생각도 없이 그저 해내고 있을 뿐이었겠지. 그들은 암흑과 당당히 맞설 수 있을 만큼 사나이다운 사람들이었어. 혹시 그 지휘관이 로마에 좋은 친구들을 가졌다든가 이곳에 주둔하는 동안 이 끔찍한 기후를 겪고도 살아남을 경우에는 결국 라벤나에 있는 함대로 승진하리라 믿으면서 그 기회를 엿보며 위안받고 있었을지도 몰라. 또는 토가를 입은 로

마의 점잖고 젊은 시민이 아마도 놀음을 너무 좋아한 탓에 가산을 탕진한 후 잃은 재산을 다시 모아 팔자를 고치려고 어떤 기관장이나 세금 징수원이나 심지어 상인을 수행해 이곳으로 나왔을 수도 있어. 어떤 늪지대에 상륙해 숲을 거쳐 행진한 끝에 한 기지에 이르러 야만적인 습속이, 그것도 아주 철저히 야만적인 습속이 자기를 둘러싸고 있는 것을 느꼈을 걸세. 숲속에서, 정글 속에서 그리고 야성적인 인간의 가슴속에서 격동하는 황야의 신비로운 생명을 모두 느꼈을 거야. 그런 신비의 의미를 이해할 도리야 물론 없지. 전혀 이해되지 않고 그래서 역겹기까지 한 것들의 한가운데에 갇혀 사는 수밖에 없으니까. 그런데 그 신비에는 매혹적인 면도 있어서 결국 그에게 영향을 미치게 되지. 말하자면 그건 역겨움이 주는 매혹이야. 점점 깊어지는 후회, 도망치고 싶어 못 견디는 마음, 어찌할 도리가 없는 혐오감, 굴복, 증오심 같은 걸 상상해 보게나."

그가 말을 그쳤다.

"하기야 그래." 그가 다시 입을 열면서 한쪽 팔꿈치를 꺾어 손을 치켜들더니 손바닥을 밖으로 펼쳤다. 그러자 처음부터 책상다리를 하고 앉아 있던 그의 자세는 유럽 사람 차림의 부처가 연꽃 좌대(座臺) 없이 설법하는 모습으로 바뀌었다. "하기야 우리 중 어느 누구도 정확히 그런 기분을 느끼지는 못할 걸세. 우리를 구원해 주는 것은 능률이야. 능률에 대한 헌신이지. 그러나 이 로마인들은 참으로 변변찮은 사람들이었어. 그들은 식민지 개척자도 못 되었거든. 그들의 통치는 착취 행위에 불과할 뿐 그 이상은 아니었으니까. 그들은 정복자들이었어. 정복자가 되기 위해 필요한 것은 포악한 힘뿐인데 그런 힘을 가진 것이 자랑거리는 아니야. 왜냐하면 누가 그런 힘을 가졌다고 해도 그것은 다른 사람들이 약하다는 사실에 기인하는 우연한 결과에 불과하기 때문이야. 그들은 그저 얻을 수 있는 것을 얻기 위해 손에 잡히는 것을 다 움켜잡았을 뿐이야. 그것은 폭력적인 강도 행위요, 대규모로 자행되는 흉측한 살인 행위에 불과했는데, 사람들은 맹목적으로 그 행위에 덤벼들었어. 그것은 일종의 암흑 세계를 다루는 사람들에게나 아주 적합한 행위지. 이 세계의 정복이라는 것이 대부분 우리와는 피부색이 다르고 우리보다 코가 약간 낮은 사람들에게 자행하는 약탈 행위가 아닌가. 그러므로 그 행위를 곰곰이 들여다보면 아름답지 않아. 그런 꼴사나운 행위를 대속(代贖)해 주는 것은 이념밖에 없어. 그 행위 이면에 숨은 이념이지. 감상적인 구실이 아니라 이념이라야 해. 그리고 그 이념에 대한 사심 없는 믿음이 있어야지. 이 이념이야말로 우리가 설정해 놓고 그 앞에서 절하며 제물(祭物)을 바칠 수 있는 무엇이거든……."

그는 말을 끊었다. 강물 위로 여러 가닥의 불이 미끄러지듯 지나갔다. 작은 녹색 불, 붉은 불 등이 서로 뒤쫓거니 따라잡거니 합치거니 엇갈리거니 하다가 결국은 천천히 또는 급하게 서로 갈라서곤 했다. 점점 깊어 가는 밤에 그 거대한 도시를 오가는 배들이 잠들 줄 모르는 강을 덮고 있었다. 우리는 참을성 있게 강을 지켜보았다. 밀물 때가 끝나기까지는 우리가 달리 어쩔 도리가 없었다. 그러나 말로가 오랫동안 지키던 침묵을 깨고 머뭇거리는 목소리로 "아마 자네들은 예전에 내

16

가 얼마 동안 하천(河川)을 왕래하는 배를 타고 다닌 적이 있다는 것을 기억할 걸세."라고 말했을 때 비로소 우리는 조수가 썰물로 돌아서기 전에 말로의 결론 없는 경험담을 하나 듣게 될 것임을 알았다.

"나에게 사사롭게 일어난 일을 가지고 자네들을 몹시 귀찮게 하고 싶지는 않네." 말로가 이렇게 이야기를 시작했을 때 그는 청중이 어떤 이야기를 선호하는지도 모르면서 이야기하지 않고는 못 배기는 이야기꾼들의 성향을 드러냈다. "하지만 그때의 일이 내게 끼친 영향을 자네들이 이해하기 위해서는 내가 어떤 경위로 그곳에 갔으며 거기서 무엇을 보았고 어떻게 강을 따라 올라가서 그 가엾은 친구를 처음 만난 곳에 이르렀는지 알아 두는 게 좋겠네. 그곳은 내 항행(航行)이 끝나고 내 체험이 절정을 이룬 곳이었거든. 그 체험은 내 주위의 모든 것에 대해, 그리고 나 자신의 사상 속에 일종의 빛을 던져 주는 듯했어. 또 그것은 참으로 어두웠고 연민의 정을 불러일으켰는데 어떤 면에서도 비범하지 않았으나 그렇다고 아주 분명하지도 않았어. 그래, 아주 분명하지 않았지. 그런데도 일종의 빛은 던져 주는 듯했어.

자네들도 기억하겠지만 당시 나는 인도양이니 태평양이니 중국해니 하는 곳을 실컷 돌아다니다가 막 런던으로 돌아왔거든. 6년 남짓하게 본격적으로 동방 항해를 한 후 귀국해 여기저기 떠돌면서 자네들 직장을 찾아가 업무를 방해하거나 집으로 쳐들어가 나에게 자네들을 개화해야 할 거룩한 사명이 있는 것처럼 굴곤 했지. 한동안은 그런 생활도 아주 할 만하더군. 그러나 얼마 지나니까 뭍에서 휴식을 취하기도 싫증이 나더라고. 그래서 나는 다시 취업할 배를 찾아다니기 시작했지. 그건 세상에서 가장 고통스러운 일이 아닌가. 하지만 여러 척의 배가 나를 거들떠보지도 않더군. 그래서 나는 배를 찾는 일에 짜증이 났지.

그런데 말이야. 꼬마 시절에 나는 지도를 열심히 보는 게 취미였거든. 여러 시간 동안 남아메리카니 아프리카니 호주니 하는 지역을 살펴보면서 그곳을 탐험한 모든 사람들의 영광스러운 이야기에 몰두하곤 했어. 당시만 해도 이 지구상에는 빈 공간이 많았어. 지도에 그려진 모든 지역이 다 유혹적이었지만 특별히 유혹적인 지역을 볼 때마다 그 지역에 손가락을 대고 '내가 크면 이곳에 가봐야지.'라고 말했다네. 지금 생각하면 북극 지방이 바로 그런 지역 중 하나였어. 그런데 아직도 나는 그곳에 가 보지 못했고 앞으로도 그런 노력은 하지 않을 걸세. 매력이 사라져 버린 거야. 다른 매혹적인 지역들은 적도 주변에, 그리고 남반구와 북반구 가릴 것 없이 모든 위도상에 산재해 있었어. 나는 그중 몇 지역에 가 본 적이 있는데, 글쎄……. 그런 이야기는 그만두겠네. 그러나 당시 여전히 매혹적인 지역이 한 곳 있었는데 나는 바로 그 가장 넓고 가장 공허해 보이던 곳에 몹시 가 보고 싶더군.

하기야 그래. 그 무렵 그곳은 이미 텅 빈 공간이 아니었어. 내 어린 시절 이후 그곳에는 이미 강과 호수, 지명 들이 가득 채워져 있었거든. 어느새 즐거운 신비감을 불러일으키는 텅 빈 공간이라든가 소년의 화려한 꿈을 키울 수 있는 지도상의 하얀 면은 아니었어. 어느새 그곳은 암흑의 땅으로 변해 있었어. 하지만 거기에는 특히 강 하나가 그려져 있었지. 자네들도 지도에서 볼 수 있었던 그 굉장한 강은 거대한 뱀이 똬리를 풀고 있는 형상이었어. 머리는 바다에 닿고 꾸부정한 몸뚱이는 멀리 광활한 대륙에 놓여 있었는데 꼬리는 그 땅의 오지에 감추어져 있었지. 그런데 한 상점 진열창에서 그 지도를 보자 나는 그 지역에 매혹되고 말았어. 그건 마치 뱀이 한 마리의 새, 그것도 아주 멍청한 새의 넋을 빼앗고 있는 것 같았어. 그러자 한 대기업이 그 강에서 무역을 하고 있다는 말을 들은 기억이 나더군. 옳지! 그 거대한 담수면(淡水面)에 배를 띄우지 않고야 무역을 할 수 없을 것 아닌가 싶더군. 기선이 운항하고 있을 거야! 내가 그 기선 중 하나에서 선장이 되면 안 된다는 법이 있겠는가. 내가 플리트가(街)에서 일터를 찾아다닐 때 그런 생각을 떨쳐 버릴 수 없더군. 그 뱀 같은 강이 내 넋을 빼앗았다니까.

자네들도 알다시피 그 무역 회사는 유럽 대륙에 있는 기업체였어. 그런데 나에게는 대륙에서 사는 친척들이 많아. 그들이 보기에는 그쪽이 생활비도 덜 들고 겉으로 보기만큼 누추한 곳도 아니었거든.

유감스럽게도 내가 그 친척들을 귀찮게 했다는 말부터 실토해야겠네. 물론 나로서는 처음 해 보는 짓이었어. 나는 그런 식으로 일자리를 구하는 데 익숙하지 않았거든. 늘 내 방식으로 구했고 마음 내키는 곳을 내 발로 찾아가곤 했지. 그러므로 내가 친척들의 힘을 빌려 일자리를 구한다는 것은 상상할 수조차 없는 일이었어. 그렇지만 당시만은 무슨 수를 써서라도 아프리카로 꼭 가야겠다는 느낌이 들었던 거야. 그래서 나는 친척들을 괴롭히기 시작했지. 남자 친척들은 '이보게, 자네가 어쩌려고.'라며 아무런 도움도 주지 않았어. 그래서, 믿기 어렵겠지만, 나는 여인들을 움직여 보기로 했지. 나 찰리 말로가 일자리를 구하는 데 여인들을 동원했단 말이네. 그럴 수가 있을까 싶지! 하지만, 이보게들, 아프리카로 가야겠다는 생각이 나를 몰아세웠던 거야. 내게는 숙모가 한 분 계셨는데 아주 열정적이셨지. 그분이 내게 편지를 주셨어. '내겐 즐거운 일이 될 거다. 너를 위해서라면 무슨 짓이라도 해야지. 참 멋진 생각을 했구나. 내가 아주 지위 높은 당국자의 아내를 알고 각계에 막대한 영향력을 행사할 수 있는 분도 알고 있단다.' 운운 하는 내용의 편지였어. 그 숙모께서는 만약 하천(河川)을 운항하는 기선의 선장이 되는 것이 그렇게 소원이라면 내가 선장에 임명될 수 있도록 어떤 수고도 아끼지 않겠다는 결심을 하셨던 거야.

물론 나는 선장에 임명되었어. 그것도 아주 빨리 임명되었지. 당시에 회사에서는 자기네 선장 중 한 사람이 원주민들과 싸우다가 살해되었다는 소식을 전해 받았던가 봐. 그래서 나는 기회를 얻었고 그만큼 더 그곳에 가고 싶어 안달이 났지. 그로부터 여러 달 후 살해된 선장의 유해를 수습하러 가서야 비로소 나는 그 싸움이 암탉 몇 마리를 둘러싼 오해에서 비롯되었다는 말을 듣게 되었어. 글쎄, 검은 암탉 두 마리 때문이었다는 거야. 프레스레벤이 바로 그 죽은 녀석의 이름이었는데 덴마크 사람이었어. 그는 암탉을 흥정하다가 부당한 대접을 받았다고 생각했던가 봐. 그래서 배에서 상륙한 후 마을 추장을 몽둥이로 때리기 시작했다는 거야. 그 이야기를 들으면서 프레스레벤이야말로 일찍이 이 세상에서 두 발로 걸어다닌 동물 중에서도 가장 점잖고 가장 조용한 사람이었다는 이야기까지 들었는데, 그런 사람이 어떻게 그런 몹쓸 짓을 할수 있었을까 하고 놀라지는 않았네. 그는 분명히 점잖고 조용한 사람이었을 거야. 하지만 그는 당시에 이미 2년간이나 그곳에 머물면서 회사에서 내세우는 명분이 고상한 사업에 종사해 온 터라 아마 어떤 방식으로든 자기 자존심을 확인해 보이고 싶다고 느꼈을 걸세. 그래서 그는 많은 마을 사람들이 지켜보는 앞에서 그 늙은 검둥이를 두들기게 되었을 거야. 내가 듣기로는, 결국 추장의 아들이라는 사내가 늙은이의 비명 소리를 듣고 광분한 나머지 창으로 그 백인을 한번 찔러 보았다는 거야. 물론 창은 어깨죽지를 깊이 뚫고 들어갔지. 그러자 원주민들은 장차 자기네에게 온갖 재앙이 닥쳐오리라 예상하고 숲속으로 도망쳤고, 프레스레벤이 선장으로 있던 기선의 선원들도 공포에 질린 나머지 아마도 기관사의 지휘 아래 그곳을 떠나고 말았을 거야. 그 후에 내가 그곳으로 가서 프레스레벤이 비운 자리를 떠맡을 때까지 아무도 그의 시신은 신경도 쓰지 않았대. 하지만 나로서는 그 시신을 거기에 버려둘 수 없었지. 내가 선임자의 유해를 찾아갈 기회를 얻었을 때 그의 갈비뼈 사이로 풀이 자라서 모든 유골을 가릴 정도로 우거져 있더군. 모든 뼈가 고스란히 남아 있었지. 그가 쓰러진 후 원주민들은 초자연적 존재라고 여겨지던 이 백인의 시신에 손을 대지 않았던 거야. 마을에서는 사람의 자취를 볼 수 없었어. 그 퇴락한 곳의 오두막들은 문이 열린 채 시커먼 내부를 드러내며 썩어 가고 있어서 몹시 을씨년스러웠어. 그 마을에 재앙이 다가왔던 셈이야. 사람들은 어디론지 사라지고 없었어. 그들은 공포에 질린 나머지 사내들, 아낙들, 아이들 가리지 않고 모두 흩어져 숲속으로 숨었던 거야. 그들은 다시 돌아오지 않았어. 그 암탉들이 어떻게 되었는지는 나도 몰라. 어쨌든 우리가 발전이랍시고 내세우는 대의명분이 그 암탉들에게까지 힘을 뻗치고 있었던 거야. 그러나 이 끔찍한 사건 덕분에 나는 미처 기대하지도 않았던 선장에 별안간 임명되었던 걸세.

　나는 출발 준비를 하느라 미친 듯이 뛰어다녔어. 미처 마흔여덟 시간이 지나기도 전에 나는 고용주들을 찾아가 계약서에 서명하기 위해 영불 해협을 건너고 있었지. 몇 시간 지나지 않아 나는 언제나 회칠한 무덤[6]을 연상시키는 유럽 대륙의 한 도시[7]에 도착했어. 그런 생각은 물론 편견이었겠지. 그 회사의 사무실을 찾기는 어렵지 않더군. 그 회사는 그 도시에서도 가장 큰 업체였고 내가 길을 물어본 사람마다 그 회사를 아주 잘 알고 있었거든. 그들은 해외에서 하나의 제국을 경영하려 했고 교역을 통해 한없이 많은 돈을 벌어들이고 있었던 거야.

---

6) 위선의 은유로 흔히 쓰이는 구절로 「마태복음」 23장 27절에 있다.
7) 브뤼셀을 가리킨다. 당시 콩고는 벨기에의 식민지였다.

짙은 그림자가 드리운 좁고 인적 드문 거리, 높은 건물들, 베니션 블라인드가 달린 수많은 창들, 쥐 죽은 듯한 고요, 석재 틈에서 싹 트는 풀, 좌우로 위압적인 아치형 지붕이 덮여 있는 마찻길, 묵직하게 서서 조금씩 열려 있는 거대한 이중 출입문들이 있었지. 나는 틈새 중 한 곳으로 미끄러지듯이 들어갔고 청소는 깨끗이 되었으나 수리되지 않은,[8] 그래서 사막같이 황량한 계단을 올라가 처음 나타난 문을 열었어. 한쪽은 뚱뚱하고 다른 한쪽은 날씬한 두 여인이 짚으로 속을 채워 만든 의자에 앉아서 검은 털실로 뜨개질을 하고 있더군. 그중 날씬한 쪽이 일어서더니 뜨개질하던 눈을 쳐들지도 않은 채 곧장 내게로 다가왔어. 나는 마치 몽유병 환자 앞에서 비키듯이 그녀 앞에서 비켜야겠다고 생각했는데 그녀가 걸음을 멈추고 나를 쳐다보는 거야. 그녀의 옷은 우산 커버처럼 소박했는데 그녀가 그 자리에서 아무 말 없이 돌아서더니 앞장서서 나를 대기실로 안내했어. 나는 이름을 대고 사방을 살펴보았지. 방 가운데에는 널빤지 탁자가 있고 벽을 따라 사방으로 수수한 의자가 놓여 있었어. 한쪽 끝에는 일곱 가지 무지개색으로 표시된 크고 번질거리는 지도가 한 장 놓여 있더군. 붉은색[9]이 차지하는 면적이 아주 넓었는데, 그곳은 언제 보아도 우리를 흐뭇하게 하지. 거기서는 어떤 실질적 사업이 진행되고 있다는 것을 우리가 알기 때문이야. 파란색 지역도 꽤 넓었고 녹색 지역

---

8) 「누가복음」 11장 25절 참조.
9) 영국 영토를 가리키는 색.

약간에 귤색도 보이더군. 그리고 동해안의 자줏빛 지역은 명랑한 발전의 선구자들이 그 좋다는 라거 맥주를 마시고 있는 곳을 가리켰어. 그러나 나는 그런 색이 칠해져 있는 곳으로 가게 되어 있는 게 아니었지. 노란색[10] 지역으로 들어가게 되어 있었어. 그곳은 지도의 한복판에 있었어. 바로 거기에 그 강이 마치 뱀처럼 매혹적으로 무시무시하게 놓여 있었지. 아, 바로 그 순간 문이 열리더니 백발에 동정 어린 표정을 지은, 비서처럼 생긴 사람이 나타나 깡마른 집게손가락으로 나에게 안쪽으로 들어오라는 시늉을 하더군. 그 안쪽은 불빛이 어두웠고 무거운 책상이 가운데 놓여 있었어. 그 책상 너머에서 창백하고 뚱뚱하다는 인상을 풍기는 프록코트 입은 사내가 앞으로 나오더군. 그 대단하다는 분이 몸소 나왔던 거야. 내가 판단하기에 그는 키가 5피트 6인치 정도였는데 그 많은 회사 자산을 좌지우지했지. 그가 악수를 청해 왔고 뭐라고 애매하게 중얼거리면서 내 프랑스어 실력에 만족하더군. 그러고는 '잘 다녀오시오.'라는 거야.

45초쯤 후에 나는 다시 그 동정적인 비서와 함께 대기실로 나왔어. 비서가 딱해 죽겠다는 듯이 나를 동정하면서 어떤 서류에 서명을 하게 하더군. 지금 생각하면 무엇보다 회사의 비밀을 절대 발설하지 않겠다고 서약하는 서류였던 것 같아. 그래. 지금도 나는 비밀을 발설할 생각은 없어.

차츰 불안해지기 시작하더군. 자네들도 알다시피 나는 그

---

10) 벨기에 영토를 가리키는 색.

런 격식 지키기에는 익숙하지 않거든. 게다가 그 회사의 분위기에는 어딘지 불길한 데가 있었어. 마치 내가 어떤 음모에 휘말리고 있는 듯한 느낌이었는데, 글쎄, 그것도 아주 정당치 않은 음모인 듯했어. 그 방에서 나오니까 후련하더라고. 바깥 방에서는 여전히 두 여인이 검은 털실로 열심히 뜨개질을 하고 있었지. 사람들이 들이닥치고 두 여인 중 젊은 쪽이 앞뒤로 오가며 그들을 안내하고 있었어. 나이 든 쪽은 계속 의자에 앉아 있었고, 납작한 천 슬리퍼를 신은 발을 족온기(足溫器)에 대고 있었는데 고양이 한 마리가 무릎에 앉아 있더군. 그녀는 풀을 먹인 하얀 천을 머리에 썼는데, 한쪽 뺨에 사마귀가 보이고 은테 안경이 코끝에 걸려 있더군. 그녀가 안경 너머로 나를 흘낏 바라보았어. 표정에 감도는 기민하지만 무관심한 평온함이 내게는 거북하더군. 표정이 바보스러우나 명랑한 두 젊은이가 대기실로 안내되었고 그녀는 그 젊은이들에게도 내게 던진 것과 똑같이 무관심하지만 자기는 다 안다는 듯한 눈길을 던졌어. 그녀는 그 젊은이들이나 나에 대해 모든 것을 알고 있는 듯하더군. 어떤 기분 나쁜 느낌이 엄습해 왔어. 나에게는 그녀가 불길하고 숙명적인 존재로 보이더라고. 그 후 멀리 아프리카에 가서도 나는 자주 그 두 여인을 생각했어. 그들은 마치 시신을 덮을 천을 짜고 있는 듯 검은 털실로 뜨개질을 하면서 암흑의 세계로 들어가는 문을 지키고 있었는데, 그중 한 여인이 내방객들을 끊임없이 그 미지의 세계로 안내하는 동안 다른 여인은 무관심한 늙은이의 눈으로 명랑하지만 바보스러운 얼굴들을 곰곰이 살피고 있었어. 안녕! 검은 털실로 뜨개질을 하는 늙은이여. '죽으러 가는 사람들이 폐하께 인사 올립니다.'[11] 그녀가 바라본 사람들 중에서 그녀를 다시 보게 된 사람은 많지 않았다네. 그 수는 반에도 훨씬 미치지 못했을 테니까.

그러고도 의사를 만나는 일이 남아 있었다네. '간단한 형식적 절차에 불과하답니다.'라고 말한 비서는 마치 나의 슬픔에서 커다란 몫을 담당하고 있는 듯한 태도였어. 그러자 왼쪽 눈썹 위로 모자를 눌러쓴 젊은 녀석이 2층 어디선가 나타나더니 나를 인도하더군. 그 건물은 죽은 자들의 도시에 있는 것처럼 고요했지만 회사에는 서기들이 많았던가 봐. 그는 초라하고 부주의한 복장이었는데 재킷 소매에 잉크 자국이 보였고 낡은 장화의 발끝처럼 생긴 턱 아래에 굵게 주름 잡힌 넥타이가 매어져 있었지. 의사를 만나기에는 약간 이른 시간이었어. 그래서 나는 그 젊은이에게 술을 한잔하자고 했고, 그 제안을 받자 그는 유쾌한 기색을 띠기 시작하더군. 베르무트를 한 잔씩 놓고 앉았을 때 그가 자기 회사의 사업에 대해 찬양하기에 나는 별생각 없이 그렇다면 왜 당신은 아프리카로 나가지 않느냐고 물어보았지. 그러자 갑자기 그가 냉정해지면서 정색하더군. 그는 "내가 겉보기만큼 바보는 아니니라." 플라톤이 제자들에게 하신 말씀이지요?'라고 금언을 외우듯이 말하고 나서 절대로 아프리카에는 가지 않겠다는 결연한 자세로 잔을

---

11) Morituri te salutant. 로마 시대에 검투사들이 출전에 앞서 황제에게 올리던 인사.

비우더군. 그러고 나서 우리는 자리에서 일어섰지.

늙은 의사는 내 맥박을 짚으면서도 무언가 사뭇 다른 일을 생각하고 있음이 분명했어. 그는 '좋아요. 그곳에 나가실 만하오.'라고 중얼대더니 나에게 두개골 측정을 허락해 주겠느냐고 열띤 어조로 묻더군. 나는 적이 놀랐지만 좋다고 대답했지. 그랬더니 그가 측경기(測徑器) 비슷하게 생긴 것을 끄집어내 내 머리를 앞뒤로 이리저리 측정하면서 조심스럽게 메모하더군. 그는 작은 체구에 면도도 하지 않았고 개버딘 천으로 지은 듯한 낡은 코트를 입고 발에는 슬리퍼를 걸치고 있었는데 나는 속으로 그가 해롭잖은 바보일 거라고 여겼지. '과학의 발전을 위해 나는 늘 아프리카로 떠나는 사람들에게 두상(頭相) 측정을 허락해 달라고 요청한답니다.' 그가 말하더군. '그들이 귀국할 때도 그런 청을 하나요?' 내가 물었지. '아, 다시 그들을 보지는 못한답니다.' 그가 대답하더군. '더욱이 변화가 있다면 두상이 아니라 체내에서 일어나는 법이지요.' 그가 점잖은 농담이라도 하듯이 미소를 짓더군. '그래, 선생께서는 아프리카로 나가신다고요. 좋습니다. 흥미롭네요.' 그는 무엇을 탐색하듯이 나를 흘낏 바라보더니 다시 메모했어. '혹시 가족 중 누구에게 광증(狂症)이 있었나요?' 그는 평범한 것을 묻는다는 듯이 말했어. 나는 기분이 상하더군. '그것도 과학의 발전을 위해 묻는 건가요?' 내가 화를 냈지만 그는 아랑곳하지 않고 대답하더군. '개개인의 정신 상태에 일어나는 변화를 현장에서 지켜보는 것은 과학을 위해 흥미로운 일이 될 수 있어요. 하지만.' '선생께서는 정신과 의사이신가요?' 내가 그의 말을 가로챘어. '모든 의사가 어느 정도는 정신과 의사라야 합니다.' 그 괴짜가 조금도 동요치 않고 대답하더군. '내게는 조그마한 이론이 하나 있는데 아프리카로 나가시는 여러분이 도와주셔야 그 이론을 증명할 수 있어요. 그건 바로 우리 나라가 그 엄청난 보호령을 소유해 거둘 수 있는 이득에서 내가 차지하는 몫이기도 하답니다. 단순한 금전적 이득은 다른 사람들이 차지하게 두겠습니다. 내 물음이 무례했다면 용서해 주십시오. 하지만 선생은 내가 관찰한 최초의 영국인이라…….' 나는 전형적인 영국인과 거리가 먼 사람이라고 서둘러 말해 주었지. '내가 만약 전형적인 영국인이라면 이렇게 선생과 이야기하고 있지도 않을 겁니다.' '하시는 말씀이 꽤 깊이가 있네요. 그런데 그 말은 아마 틀렸을 겁니다.' 그가 웃으면서 말하더군. '화내는 것이 태양에 노출되는 것보다 더 위험하니 화내지 마십시오. 아듀. 당신네 영국인들은 이 말을 뭐라고 하지요? "굿바이."라고 하던가요. 아, 굿 바이. 아듀. 열대 지방에 가면 무엇보다도 중요한 것이 냉정을 지키는 일이지요.' 그는 내게 경고하는 의미로 집게손가락을 쳐들어 보였다네. '냉정을 잃지 마세요. 냉정을. 아듀.'

　아직도 할 일이 한 가지 더 남아 있었어. 내 멋진 숙모에게 하직을 고하는 일이었지. 찾아가니 그분은 기고만장하더군. 나는 홍차를 한 잔 얻어 마셨는데 그 후 오랫동안 다시 맛보지 못한 마지막 한 잔의 좋은 차였어. 그리고 숙녀들의 응접실이면 당연히 그러려니 하고 기대할 수 있는 아주 아늑해 보이는 방에서 우리는 오랫동안 난롯가 한담을 즐겼다네. 그렇게 사사로운 말을 주고받는데 한 가지 사실이 아주 분명해졌어. 그분이 한 고위 인사의 부인과 그 밖에도 수없이 많은 인사들에게 아주 비범하고 재주 있는 사람이라며 나를 추천했다는 사실이었네. 나를 고용하면 회사에 큰 행운이 될 것이며 나 같은 사람을 언제나 쉽게 붙잡을 수는 없을 거라고 소개했다는 거야. 맙소사! 그런데 내가 선장 노릇을 하기로 한 배는 껄렁한 기적(汽笛)이 달린 하찮은 하천 운항용 기선에 불과했으니! 또 나야말로 '일꾼'이라 불러도 전혀 손색없는 일꾼 중의 한 사람이라고 추켜세웠던가 봐. 왜, 있잖은가. 빛을 전달하는 밀사(密使)라고 할까, 아니면 비록 저급하지만 어쨌든 사도(使徒) 같은 역할을 할 수 있는 사람이라고 했다는 거야. 그 무렵 출판물이나 일상 대화 속에 그따위 헛소리들이 많이 나돌고 있었다고. 그런데 그 훌륭하신 숙모께서는 그런 사기성이 있는 말들의 홍수 속에서 살다 보니 그만 그 속에 홀딱 빠졌던 거야. 그분은 '수백만에 달하는 무지한 원주민들을 그 무시무시한 풍습으로부터 떼어 내야' 한다고 떠들었는데, 결국 그런 말을 듣자니 내 마음이 정말 불편해지더군. 그래서 나는 회사라는 곳은 무엇보다 이윤을 위해 운영된다는 사실을 암시해 보였지.

'찰리, 너는 잊고 있구나. "일꾼이 그 삯을 얻는 것이 마땅하니라."라는 구절[12] 말이다.' 숙모가 명랑하게 말했어. 여자들은 어째서 그처럼 진실과 먼 소리만 할까. 참 이상한 일이지. 그

---

12) 「누가복음」 10장 7절 참조.

들은 자기네 자신의 세계에서만 살고 있는 셈이야. 일찍이 여인들의 세계에 비유될 만한 것은 없었고 있을 수도 없지. 그 세계는 너무 아름답기만 할 테고, 따라서 여인들이 그런 세계를 세운다 해도 바로 그날 해가 지기도 전에 그 세계는 허물어지고 말 거야. 창세기 이래로 우리 남성들이 만족스럽게 공유해 온 무언가 어이없는 사실이 툭 불거져 나와 그 모든 것을 허물어뜨리고 말 테니까.

그 성경 구절을 인용한 후에 숙모는 나를 껴안아 주었고 늘 플란넬 양복을 입고 다니라느니 자주 편지를 써 달라는 당부를 하더군. 그러고 나서 나는 숙모의 집을 나왔어. 거리에 나오니까 웬일인지 내가 사기꾼일지도 모른다는 이상한 느낌이 엄습해 왔어. 배를 타라는 통고를 겨우 스물네 시간 전에 받아도 나는 대부분의 사람들이 길 건너기를 생각하는 것만큼도 어렵게 생각하지 않으며 이 세상의 어느 곳을 향해서든 훌쩍 떠나곤 했는데, 그런 평범한 일을 두고 이번에는 내가 잠시 주저한 정도가 아니라 놀라 멈칫하기까지 했으니 참으로 이상한 일이 아닌가. 이 점을 자네들에게 가장 잘 설명할 수 있는 길은 아마도 이렇게 말하는 것일 게야. 잠시 동안 나는 한 대륙의 중심부를 찾아가는 것이 아니라 마치 이 지구의 중심을 향해 떠나려고 차비하는 사람처럼 느껴졌다고 말이네.

나는 프랑스 기선을 타고 출발했어. 그런데 그 배는 아프리카에 있는 시시콜콜한 항구마다 빠짐없이 들르며 가더군. 내가 보기에는 오직 군인들과 세관원들을 상륙시키려고 그러는 듯했어. 나는 해안을 지켜보았지. 배 옆으로 미끄러지듯이 지나가는 해안을 지켜보면 어떤 정체불명의 것을 생각하는 것 같은 느낌이 들었어. 저만큼 우리 앞에 펼쳐지는 해안은 미소를 짓는가 하면 찌푸리기도 했고 매혹적이고 장려한가 하면 야비하고 무미하거나 야만적이기도 했는데, 늘 '이리 와서 알아내 봐.'라고 속삭이는 듯한 모습으로 침묵하고 있었지. 그런데 아프리카의 해안은 마치 아직도 생성 중인 것처럼 단조롭게 음침한 빛을 띨 뿐 거의 형체가 없었어. 거대한 정글의 가장자리는 검푸르다 못해 거의 검어 보였고 하얀 파도로 장식되어 있었으며 저 멀리 마치 기어다니는 듯한 안개로 인해 흐릿하게 반짝이는 푸른 바다를 따라 자를 대고 그어 놓은 줄처럼 직선으로 펼쳐져 있었어. 태양은 강렬했고 대지는 번뜩이며 수증기로 물방울을 맺는 것처럼 보였지. 여기저기 하얀 파도 안쪽으로 회백색 반점들이 무리 지어 나타나곤 했는데 그 상공에는 아마도 깃발인 듯한 것이 펄럭이고 있었어. 그런 곳들은 몇백 년이나 된 정착지였지만 아직 손대지 않은 광대한 밀림을 배경으로 삼은 작은 점처럼 보이더군. 우리는 쿵쿵쿵 엔진 소리를 내며 항해했고, 도중에 기항해 군인들을 상륙시키곤 했지. 또 계속 항해하다가 세관원들을 상륙시키기도 했는데 그게 모두 하늘마저 버린 그 황야에 함석 움막을 짓고 깃대를 세우고는 세금이랍시고 거둬들이기 위함이었어. 그러고는 아마 그 세관원들을 보호하려고 더 많은 군인들을 상륙시키기도 했을 테지. 내가 듣기로는 그중 몇 사람이 상륙하다가 파도에 휩쓸려 익사하기도 했다는데 실제로 그런 일이 있었는지는 아무도 특별히 마음 쓰지 않는 듯했어. 그들은 그저 그곳에 짐짝처럼 내던져지고 우리 배는 항해를 계속했을 뿐이니까. 그런데 마치 우리 배가 조금도 움직이지 않는 것처럼 날이면 날마다 해안선은 똑같아 보이더군. 그러나 우리는 그랑바상이니 리틀포포니 하는 지명을 가진 교역처들을 여러 곳 지나갔는데 그 지명들이야말로 음산한 배경막(背景幕) 앞에서 공연되는 모종의 추잡한 소극(笑劇)에나 나올 만한 이름들이었지. 한 승객으로서의 빈둥거림, 내가 접촉할 필요가 전혀 없는 사람들 사이에서 느끼는 고독감, 기름 같고 맥이 빠진 바다, 한결같이 음침해 보이기만 하는 해안 같은 것들이 나를 슬프고 무의미한 미혹(迷惑)의 그물에 빠뜨려 사물의 진실을 보지 못하게 하는 듯했어. 이따금 들려오는 파도 소리가 형제간에 나누는 말처럼 아주 흐뭇한 기쁨이 되곤 했어. 그건 자연스러운 무엇으로, 그 나름대로 이유가 있고 의미도 있었거든. 이따금 해안에서 온 배가 일시적으로나마 현실과 접촉할 수 있게 해 주었어. 피부가 검은 녀석들이 그 배의 노를 젓고 있었지. 먼 곳에서도 그 녀석들의 눈알에서 흰자가 번뜩이는 것을 볼 수 있더군. 그 친구들은 소리치며 노래했어. 그들의 몸에는 땀이 줄줄 흘렀는데 얼굴이 괴상한 가면처럼 보이더군. 그러나 그들에게도 뼈와 근육과 야성적 생명력과 강렬한 운동 에너지가 있었는데 그런 것들은 그네들의 해안에서 부서지는 파도만큼이나 자연스럽고 또 참다웠다네. 그들이 그곳에 존재하는 데에는 아무런 구실도 필요하지 않았어. 그래서 그들을 쳐다보니 크게 위안되었어. 한동안 나는 솔직담백한 사실들의 세계에 여전히 속해 있다고 느꼈지만 그런 느낌은 오래가지 않았어. 무언가가 나타나 그런 느낌을 위협해 몰아내곤 했으니까. 한번은 해안에서 떨어진 곳에 정박하고 있는 군함과 마주쳤어. 해안에는 움막도 한 채 없었는데 군함이 숲을 포격하고 있더군. 지금 생각하니 프랑스 사람들이 거기 어디쯤에서 전쟁을 하고 있었던 모양이야. 함기(艦旗)는 누더기처럼 축 늘어져 있고 그 나직한 선체에서 긴 6인치 대포의 포구(砲口)들이 온통 내밀어져 있더군. 끈적거리며 기름기가 도는 듯한 물결 때문에 군함은 가느다란 마스트를 흔들며 천천히 솟구쳤다 내려앉았다 했어. 땅과 하늘과 바다로 구성된 그 거대한 빈 공간에 자리잡은 군함이 대륙을 향해 영문 모를 포격을 하고 있었던 거야. 6인치 대포 중 하나가 펑 하고 발사되면 작은 불꽃이 뻗쳤다 사라지고 약간의 흰 연기가 보였다 사라지면 작은 탄도가 휘익 소리를 냈지만, 사실 아무 변화도 일어나지 않았어. 도대체 아무 변화도 일어날 수 없었으니까. 그 모든 과정에는 광기가 감돌았고 그 광경에는 애처로운 익살 같은 느낌이 섞여 있었을 뿐이야. 그런데 우리 배에 타고 있던 누군가가 숲속의 보이지 않는 곳에 원주민들의 숙영지가 있다고 말하면서 그들을 적이라고 불렀는데 그 말을 들은 후에도 그 광기와 익살의 느낌은 해소되지 않더군.

우리는 그 군함에 편지를 건네주고 항해를 계속했어. 그런데 그 외딴 군함에서는 열병으로 인해 하루에 세 명꼴로 죽어 간다는 거야. 우리는 그 밖에도 지명이 우스꽝스러운 곳을 몇 군데 더 들렀는데 그런 곳에서는 과열된 카타콤[13]에나 비유될 만한 고요하고 흙내 나는 분위기 속에서 죽음과 교역(交易)이 지금도 즐거운 춤[14]을 추고 있어. 그 춤은 자연 자체가 침입자들을 막아 내려고 위험한 파도로 경계를 이루고 있는 것처럼 보이던 그 볼품없는 해안선을 따라 진행되었고 삶 속의 죽음처럼 흐르는 강 안팎에서도 진행되었지. 강둑은 썩어서 진창이 되어 갔고 진하다 못해 끈적끈적해진 강물은 지극히 무력한 절망에 싸인 채 우리를 향해 몸을 비틀고 있는 듯하던 맹그로브 나무들을 공략했어. 우리는 어느 정박지에서도 특정한 인상을 받을 만큼 오래 머물지 않았으나 대체로 막연하면서도 위압적인 경이감이 나를 점점 더 무겁게 눌렀지. 그것은 마치 악몽을 해명해 줄 실마리들 속에서 지겨운 순례를 하는 듯한 느낌이었어.

항해가 시작된 지 30일이 지나서야 나는 그 큰 강의 하구를 보았어. 우리는 관청 소재지 앞에서 닻을 내렸지. 하지만 내가 맡을 일은 거기에서 다시 200마일이나 더 들어가서야 시작되게 되어 있었어. 그래서 나는 되도록 서둘러 30마일 상류에 있는 어떤 지점을 향해 출발했다네.

나는 작은 항해용 기선을 탔어. 선장은 스웨덴 사람이었는데 내가 선원임을 알고는 선교(船橋)로 초대하더군. 그는 마르고 금발인 음울한 젊은이로 머리카락을 볼품없이 늘어뜨리고

---

13) 고대 로마의 지하 무덤.
14) 중세 유럽에서는 해골로 형상화된 저승사자가 춤을 추면서 사람들을 죽음으로 인도하는 광경이 그림의 소재로 흔히 쓰였다.

발을 질질 끌며 다녔어. 우리가 그 지저분한 부두를 떠날 때 그가 경멸하듯이 연안 쪽으로 머리를 돌리더군. 그가 '이곳에서 지내 보았소?'라고 묻기에 내가 '그렇소.'라고 대답했지. 그는 '이 관청에 근무하는 녀석들 말이오, 참으로 꼴불견이지요.'라고 말했는데 그의 영어는 아주 정확하고 꽤 신랄한 어조가 섞여 있었어. '한 달에 몇 프랑만 주면 못 할 짓이 없으니 우습지요. 그런 사람들이 상류로 올라가서는 어떻게 될지 궁금하네요.' 나는 그에게 얼마 지나지 않아 내가 그걸 알게 될 것 같다고 했지. 그는 '아, 그러실 테죠.'라고 소리치더군. 그는 경계하는 눈초리로 앞을 지켜보면서 갑판을 가로질러 발을 끌며 지나갔어. '지나치게 확신하지 마시지요.' 그가 말을 잇더군. '며칠 전에 나는 길에서 목을 매고 죽은 사내를 이 배에 싣고 왔어요. 그도 스웨덴 사람이었지요.' '목을 매다니 도대체 왜 그랬지요?' 내가 소리쳤어. 그는 경계라도 하듯 계속 밖을 살피고 있었다네. '그걸 어떻게 알겠소? 태양이 너무 뜨겁게 느껴졌거나 이 땅을 견디기 어려웠겠지요.'

강의 한 굽이를 돌아서니 드디어 직선으로 펼쳐진 강기슭이 눈에 들어오더군. 바위 절벽이 나타났는데 강가에는 파헤친 흙더미들이 있고 언덕 위에는 가옥들이 보였어. 함석 지붕을 한 다른 가옥들이 발굴 쓰레기더미 사이나 경사지에 매달린 듯이 서 있더군. 황폐한 거주지 풍경 너머 상류의 여울에서 끊임없이 물소리가 들려왔지. 그리고 대부분 피부가 검고 벌거벗은 여러 사람들이 마치 개미 떼처럼 이리저리 움직이고 있더군. 방파제가 강 속으로 뻗어 있었어. 눈이 멀 정도로 강

한 햇빛이 이따금 쏟아져 갑자기 그 모든 것을 뒤덮더군. '찾아가신다는 회사 주재소가 저기 있군요.' 스웨덴인 선장이 이렇게 말하면서 바위 비탈에 군대 막사처럼 지어 놓은 세 채의 목조 건물을 가리키더군. '가져오신 짐을 올려 보내겠습니다. 상자가 네 개라고 하셨던가요? 그러면 안녕히 가십시오.'

나는 풀에 묻혀 있는 보일러를 지났고 이내 언덕 위로 통하는 오솔길을 찾아냈지. 그 길은 바위들이나 뒤집힌 채 바퀴들을 허공에 쳐들고 있던 소형 철길 트럭을 피해 나 있었어. 바퀴 하나는 빠져 있었는데 마치 짐승 시체처럼 끔찍해 보이더군. 나는 썩어 가는 기계들이라든가 한 무더기의 녹슨 레일 같은 것들을 더 많이 지나쳤지. 왼쪽으로는 한 무리의 나무들이 그늘을 만들고 있었는데 거기서 시커먼 것들이 힘없이 움직이고 있는 듯했어. 나는 눈을 껌벅이며 쳐다보았는데 길이 가파르더군. 그때 오른쪽에서 경적이 뚜우 하고 울리니까 흑인들이 달려가는 것이 보였어. 무겁고 둔탁한 발파음이 대지를 흔들었고 절벽에서 연기가 물씬 솟았지만 그뿐이었어. 바위 표면에는 아무런 변화도 나타나지 않았으니까. 사람들이 철로를 건설하고 있다는 거였어. 그 절벽이 철로 부설에 방해가 되거나 하지는 않았어. 하지만 거기서 진행되던 작업이라고는 그 목적 불명의 발파뿐이었어.

내 뒤에서 나직이 쩽그렁거리는 소리가 들리기에 돌아보았지. 여섯 명의 흑인이 줄지어 오솔길을 힘들게 올라오고 있었어. 그들은 흙을 담은 작은 바구니를 머리에 이고 중심을 잡으려고 꼿꼿이 서서 천천히 걸었는데 쩽그렁 소리와 그들의 발걸음이 박자가 맞더군. 그들의 허리에는 검은 누더기가 둘려 있고 그 짤막한 끝부분이 뒤에서 꼬리처럼 위아래로 흔들리고 있었어. 갈비뼈가 다 드러나 보였는데 팔다리 관절이 온통 밧줄 매듭처럼 보이더군. 각자의 목에는 쇠테가 보였는데 그 테를 연결한 쇠줄의 고리들이 그들 사이에서 박자를 맞춰 흔들리며 쩽그렁거리고 있었던 거야. 절벽에서 발파음이 다시 들려왔을 때 나는 문득 대륙을 향해 함포 사격을 하던 군함이 생각나더군. 그건 똑같은 종류의 불길한 소리였어. 그러나 내가 상상력을 확대해 생각해 보려 해도 그 사람들을 적이라고 부를 수는 없더군. 그들은 죄수라고 불리고 있었어. 그들이 어겼다는 법이 마치 폭발하는 대포알처럼 그들에게 들이닥쳤겠지만 바다에서 온 미스터리처럼 그 영문을 알기 어려웠을 거야. 그들의 깡마른 가슴은 모두 헐떡이고 있었는데 심하게 커진 콧구멍이 바르르 떨렸고 눈은 언덕 위를 냉혹하게 노려보고 있더군. 그들은 내게서 6인치도 떨어지지 않게 가까이 지나가면서 나를 힐끔 쳐다보지도 않았는데 그건 불행한 야만인들이 보이는 철저하고 죽음 같은 무관심이었어. 그 길들지 않은 사람들 뒤에서 그 식민지에 작용하던 새로운 세력의 산물이랄 수 있는 길든 원주민 한 사람이 소총 가운데 부분을 붙잡고 기가 죽은 듯 어슬렁거리며 따라왔어. 그는 단추가 하나 떨어져 나간 제복 상의를 입었는데 오솔길에서 백인과 마주치자 날쌔게 소총을 어깨까지 쳐들더군. 그에게 백인들이란 모두 비슷하게 보였기 때문에 내가 누구인지 알아낼 도리가 없어서 제 딴엔 신중하게 처신한다고 그랬던 모양이야. 그는 이내 안심하는 기색이었고 하얀 이를 환하게 드러내며 악동같이 빙그레 웃더니 자기가 담당한 죄수들을 힐끗 쳐다보았어. 그는 나를 자기에게 맡겨진 높은 임무에 동참하는 사람으로 여기는 것 같았어. 어쨌든 나 또한 그 고귀하고 정당한 법 절차라는 위대한 대의명분의 일부였던 것은 사실이 아니었겠나.

나는 언덕을 올라가는 대신 돌아서서 왼쪽으로 내려갔어. 내가 오르기 전에 사슬에 묶인 죄수들이 시야에서 사라지게 하자는 생각이었지. 자네들도 알다시피 나는 특별히 마음이 약하지는 않아. 나는 그간 상대를 때려서 물리쳐야 했던 적이 있었어. 어쩌다 내가 빠져든 별난 삶의 요구에 따라, 내가 어떤 대가를 치를지 정확히 계산하지도 않고, 그저 저항하고 더러는 공격해야 했던 적이 있었거든. 공격이야말로 저항의 한 방편에 불과하니까. 그간 나는 폭력의 화신, 탐욕의 화신, 열망의 화신 등을 겪어 봤는데, 정말이지, 그들은 모두 강인하고 정력적이며 눈이 충혈된 악마 같은 존재로, 사람들을 지배하거나 몰아세웠지. 그러나 그 언덕에 올라서자 나는 대지의 눈부신 햇빛 속에서 결국 모종의 탐욕에 젖어 무자비한 우행(愚行)을 범하는 맥 빠지고 눈빛이 흐리면서도 잘난 척하는 악마 같은 인간과 사귀게 되리라는 예감이 들더군. 그가 얼마나 음험할 수 있는지 나는 몇 달 후 몇천 마일 더 들어가서야 알아낼 수 있었어. 그래서 잠시 나는 마치 어떤 경고라도 받은 양 공포에 질린 채 서 있었지. 결국 나는 그 언덕을 비스듬히 내려가 앞서 본 나무숲을 향해 갔어.

나는 그 비탈에서 누군가가 파고 있던 거대한 구멍을 피해 갔어. 그걸 파는 이유가 무엇인지 나로서는 짐작도 할 수 없더군. 어쨌든 그건 채석장이나 모래 구덩이는 아니었어. 그저 구멍이었어. 어쩌면 그게 죄수들에게 무언가 할 일을 주어야 겠다는 박애적(博愛的) 의도와 관련 있었을 수도 있지. 하지만 나로서는 모를 일이야. 그때 나는 아주 좁은 골에 빠질 뻔했는데, 말이 골이지 언덕에 낸 흠집에 불과했어. 그 정착지에 쓰려고 수입된 많은 배수 파이프가 거기서 뒹굴고 있더군. 그런데 그중에서 깨지지 않은 것은 하나도 없더라고. 그야말로 엉망진창이었어. 드디어 나무 밑에 이르렀지. 나는 잠시 그 그늘에서 배회할 생각이었지. 그러나 그늘에 들어가자마자 마치 한 연옥(煉獄)의 침침한 구역에 들어선 것처럼 느껴지더군. 가까이에 여울이 있었기 때문에 한결같은 물소리가 끊임없이 밀려와 사람의 숨소리나 나뭇잎 살랑거리는 소리조차 나지 않는 숲속의 음울한 정적을 신비롭게 가득 채우고 있었어. 그건 마치 허공으로 쏘아 올린 지구가 질주하며 내는 소리가 갑자기 들리게 된 것 같았다고나 할까.

검은 형상들이 나무 사이에서 웅크리거나 눕거나 앉아 있더군. 더러는 나무 둥치에 기대고 있었고 더러는 땅바닥에 달라붙어 있었는데 희미한 빛 속에서 반쯤은 보이고 반쯤은 가려져 있었어. 모두 고통과 자포자기, 아니면 절망에 빠져 있는 모습이었어. 절벽에서 한 차례 더 폭발이 있었고 뒤이어 내가 서 있던 땅이 약간 흔들렸지. 작업이 진행되고 있었던 거야. 그놈의 작업이! 그런데 그곳은 다름 아니라 작업을 돕던 원주민

몇 사람이 물러나 죽음을 기다리는 곳이더라고.

그들은 분명 천천히 죽어 가고 있었어. 그들은 우리의 적이 아니고 죄수도 아니었지만 이미 이 세상 사람다운 데 없이 질병이나 기아로 죽어 가는 검은 형상들에 불과했고 그 침침한 녹음 속에 어지럽게 누워 있었을 뿐이야. 일정 기간의 고용 계약이라는 합법적 수단으로 해안 각처에서 끌려온 후 체질에 맞지 않는 환경에 내던져진 채 입에 맞지 않는 음식을 먹다가 이제 병들어 비능률적 노동자로 전락하니까 작업장에서 기어 나가 그늘에서 쉬도록 허락되었던 거야. 이 죽어 가는 형상들은 이제 공기처럼 자유로웠지만 한편 공기처럼 엷은 존재들이기도 했어. 나무 그늘 속에서 반짝이는 그들의 눈이 보이기 시작했어. 그래서 내려다보니까 바로 내 옆에 한 사람의 얼굴이 보이더군. 그 피골이 상접한 검은 몰골은 한쪽 어깨를 나무에 기댄 채 다리를 죽 펴고 누워 있었어. 눈꺼풀이 천천히 올라가더니 우묵히 들어간 휘둥그런 눈이 나를 멍청하게 쳐다보는 거야. 그러나 그 안구의 깊은 곳에서 새 나오던, 이미 시력을 잃은 듯한 흰 빛이 천천히 사라지고 있었어. 그는 젊은이 같았고 혹시 소년이 아닌가도 싶었지만 우리로서는 그들의 나이를 알아내기가 쉽지 않지. 내가 할 수 있는 것은 스웨덴인 선장의 배에서 얻어 주머니에 넣어 둔 선원용 비스킷을 하나 내미는 것뿐이었다네. 그의 손가락이 천천히 그걸 움켜잡았지만 다른 동작이나 눈길은 보이지 않더군. 그는 목에 하얀 소모사(梳毛絲) 조각을 두르고 있었는데 왜 둘렀을까? 그걸 어디서 구했을까? 그건 배지였을까, 장식품이었을까, 부적이었을까, 아니면

신의 노여움을 달래기 위한 조처였을까? 혹시 어떤 이념과 관련 있는 것이었을까? 어쨌든 바다 건너에서 가져온 그 하얀 실 조각이 그의 검은 목에 둘려 있다는 것은 놀라운 일이었어.

그 나무 근처에 깡마른 몸을 예각(銳角)으로 뭉쳐 놓은 듯한 두 사람이 다리를 접고 앉아 있더군. 그중 한 사람은 무릎에 턱을 괴고 차마 쳐다볼 수 없이 무시무시한 자세로 허공을 응시하고 있었어. 그의 동료는 엄청난 지겨움을 이길 수 없다는 듯 이마를 무릎에 괴고 있었지. 그들 주변에는 다른 사람들이 하나같이 이지러져 몰락한 듯한 자세로 여기저기 흩어져 있어 어떤 학살 행위나 전염병이 지나간 곳이 연상되더군. 내가 공포에 질린 채 서 있는 동안 그 몰골들 중 하나가 두 손과 두 무릎에 의지해 일어나더니 물을 마시러 강으로 엉금엉금 기어갔어. 그는 손으로 물을 떠 마시고 나서 두 정강이를 엇갈리게 하고 햇빛 속에 앉아 있더니 얼마 후 머리카락이 곱슬곱슬한 머리를 가슴으로 떨어뜨리더군.

나는 더 이상 그 그늘에서 빈둥거리고 싶지 않았어. 그래서 서둘러 주재소로 향했지. 건물 근처에서 나는 백인을 한 명 만났는데 그의 차림새가 뜻밖에도 너무 우아해서 처음 보는 순간 일종의 환상일 거라고 여겼어. 풀을 먹인 하이칼라, 하얀 커프스, 가벼운 알파카 천으로 만든 재킷, 눈처럼 하얀 바지, 깨끗한 넥타이, 윤이 나는 구두 따위가 눈에 들어오더군. 모자는 쓰지 않았어. 그 큼직한 하얀 손에 들려 있던 녹색 천으로 만든 양산 아래로 가르마를 타고 잘 빗어서 기름을 바른 머리카락이 보이더군. 그는 참으로 경이로운 모습이었는데 귀에는 펜대가 얹혀 있었어.

나는 그 기적처럼 보이는 인간과 악수했지. 그가 회사의 회
계 주임이며 그 주재소에서 온갖 부기 업무가 행해진다는 사
실도 알게 되었어. 그는 '신선한 공기를 마시려고' 잠시 밖으
로 나왔다더군. 그 말은 그 오지에도 책상에 앉아 하는 일이
있다는 것을 암시해 놀라울 정도로 신기하게 들렸어. 사실 내
가 자네들에게 그 녀석에 대한 이야기까지 할 필요는 전혀 없
겠지. 하지만 나는 바로 그 녀석의 입을 통해 그 시절 나의 기
억과 도저히 뗄 수 없는 한 인간의 이름을 처음으로 들을 수
있었어. 더욱이 나는 그 녀석을 존경했어. 아무럼, 나는 그의
칼라, 그 넓은 커프스, 잘 빗은 머리카락을 존경했던 거야. 정
녕 그의 외모는 이발소의 장식용 인형 같았다니까. 하지만 그
는 그 땅의 엄청난 타락상 속에서도 외모를 단정하게 유지하
고 있었어. 그건 바로 그의 성품이 확고하다는 뜻이었지. 그
풀 먹인 칼라라든가 셔츠의 장식용 가슴받이도 모두 그 성품
이 빚어낸 결과였을 테고. 그는 그곳에 나온 지 3년 가까이 된
다고 했어. 그래서 나중에 무슨 수로 그렇게 깨끗이 차려입고
멋을 낼 수 있는지 그에게 물어보지 않을 수 없었지. 그는 그
저 얼굴을 약간 붉히면서 '주재소 근처에 사는 원주민 여인 한
명에게 일을 가르쳤답니다. 어려웠어요. 그 여자는 그 일을 싫
어했으니까요.'라고 겸손히 대답하더군. 그런 식으로 그는 참
으로 무언가를 성취할 수 있었을 뿐 아니라 자기 회계 장부에
매달려 그걸 깨끗하게 정리해 둘 수도 있었던 거야.

그 녀석을 제외하고는 주재소에서 볼 수 있는 모든 것이 엉

망이었어. 사람들이 그랬고 물건이며 건물 또한 그랬지. 편평족을 한 먼지투성이의 검둥이들이 줄줄이 도착했다가 떠나갔고, 싸구려 면직물, 구슬, 놋쇠 철사 따위의 공산품이 홍수처럼 암흑의 오지로 들어가는가 하면 그 대가로 귀한 상아가 흘러나왔어.

나는 그 주재소에서 열흘간 기다려야 했는데 그동안이 끝없는 시간처럼 느껴지더군. 나는 뜰에 있는 어떤 오두막에서 지냈지만 그 어지러운 곳을 피해 이따금 회계 주임의 사무실에 들어가곤 했어. 그 건물은 널빤지를 수평으로 붙여 지은 집이었는데 널빤지들이 서로 맞물리지 않았기 때문에 그가 그 높은 책상에서 고개를 숙이고 사무를 볼 때면 널빤지 틈으로 새어 든 좁다란 햇빛이 그의 목에서 뒤꿈치까지 쇠살 무늬로 비쳤어. 그러므로 밖을 내다보려고 그 큰 덧창을 열 필요조차 없었지. 게다가 사무실은 덥더군. 큼직한 파리들이 마귀처럼 윙윙 날아다니면서 침으로 쏘는 정도가 아니라 칼로 찌르다시피 하더군. 그가 그 나무랄 데 없는 외모에 향수까지 약간 뿌리고 높다란 책상에서 장부 정리에 여념이 없는 동안 나는 대체로 마루에 앉아 있었어. 이따금 그는 운동을 하려고 일어나더군. 강 상류에서 근무하다가 병이 난 주재원 한 사람이 바퀴 달린 간이 침대에 실려 사무실에 들어오자 회계 주임은 점잖게 불쾌감을 표시하더군. '이 환자의 신음 소리가 내 주의력을 흩트리는군요.' 그가 말했어. '그런데 주의력을 집중하지 않으면 이런 기후에 사무 착오를 예방하기가 지극히 어렵단 말씀입니다.'

어느 날 그가 머리를 들지도 않은 채 '오지(奧地)로 더 들어가시면 틀림없이 커츠 씨를 만나게 될 겁니다.'라고 하더군. 내가 커츠 씨가 누구냐고 묻자 그는 일급 주재원이라고 말했어. 그 대답을 듣고 내가 실망하는 기색을 보이자 그는 펜을 놓고 덧붙였어. '그분은 아주 주목할 만한 인물이지요.' 더 많은 질문을 해서 나는 커츠 씨가 당시 참으로 상아 산지(産地)라고 할 만한 곳에서 아주 중요한 교역소(交易所) 한 곳을 책임지고 있다는 사실을 알게 되었어. '그 고장에서도 가장 오지라고 할 수 있는 곳에서 그분은 다른 모든 교역소에서 수집한 상아를 합친 것만큼 많은 상아를 보내 오고 있어요……' 그는 다시 장부 기입을 시작하더군. 환자는 너무 병약해 신음 소리조차 내지 못했고 파리들은 아주 태평스럽게 윙윙거렸어.

갑자기 여러 사람이 중얼대는 소리가 점점 더 가까워지더니 발걸음 소리가 요란하게 들리더군. 대상(隊商) 무리가 도착했던 거야. 널빤지 저쪽에서 무뚝뚝한 음성으로 몹시 떠드는 소리가 터져 나왔어. 모든 운반원이 함께 떠들었고, 그 소동 속에서도 주재소 소장이 통탄하는 목소리로 무엇인가를 '포기하는 수밖에' 없겠다고 눈물겹게 말하는 것을 그날 벌써 스무 번째 들을 수 있었지……. 회계 주임이 천천히 일어서더니 '참 지독히도 소동을 벌이네.'라고 하더군. 그는 조용히 방을 건너 환자를 살피더니 내 쪽으로 돌아와서 말했어 '저 사람은 듣질 못하는군요.' '뭐라고요? 죽었나요?' 내가 놀라서 물었지. '아니요, 아직은 죽지 않았어요.' 그가 아주 침착하게 대답하더군. 그러고 나서 머리를 쳐들어 주재소 마당에서 벌어지던 소동을 가리키며 말했어. '정확한 장부 기입을 해야 하는 사람은 저런 야만인들을 미워하지 않을 수 없어요. 죽어라고 미워하게 된답니다.' 그는 잠시 생각에 잠기더니 책상을 흘끗 쳐다보면서 말을 이었어. '커츠 씨를 만나시거든 이곳에서는 모든 일이 아주 만족스럽게 진행되고 있다는 제 말씀을 전해 주십시오. 그에게 편지를 쓰고 싶지는 않군요. 주재소를 오가는 회사의 전령(傳令)들이 어떤 위인들인지 고려한다면 중부 주재소에서 그 편지가 누구 손에 들어가게 될지 알 수 없거든요.' 그는 그 온화하게 불거져 나온 눈으로 잠시 나를 노려보더군. '아, 그분은 높이 올라가실 겁니다. 아주 높이.' 그가다시 말을 시작했어. '머지않아 그분은 회사 사무처에서 상당한 인물이 되실 겁니다. 회사의 윗분들이, 왜 있잖아요, 유럽에 있는 회사의 이사회에서 그분을 요직에 앉히려 하지요.'

그는 다시 일을 시작하더군. 밖에서는 소동이 끝났고, 얼마후 나는 밖으로 나가다 문간에서 걸음을 멈췄지. 귀국하도록예정돼 있던 병든 직원은 파리들이 끊임없이 윙윙거리는 가운데 얼굴이 상기된 채 의식을 잃고 누워 있었고, 회계 주임은장부 위로 상체를 숙이고 그 완벽한 거래 내역을 정확하게 기입하고 있었어. 그리고 문간에서 50피트 아래쪽으로는 죽음의 숲을 이룬 나무들의 고요한 우듬지가 보이더군.

다음 날 드디어 나는 그 주재소를 떠났어. 예순 명의 사내들로 구성된 대상과 함께 200마일 길을 도보로 나선 거야.

자네들에게 그 이야기를 지루하게 늘어놓을 필요는 없어. 어디서나 오솔길, 또 오솔길이었지. 사람들의 발길로 다져진 오솔길이 그물처럼 그 텅 빈 대지에 펼쳐져 있더군. 기다랗게 자란 풀 사이로, 불탄 풀 사이로, 덤불 숲 사이로, 그 싸늘한 골짜기 아래위로, 태양열로 불타는 듯한 바위투성이 언덕 아래위로 오솔길이 나 있었어. 그리고 어디에나 고적함이 있을 뿐 사람이나 오두막은 하나도 보이지 않더군. 주민들은 오래전에 그곳을 버리고 떠났던 거야. 생각해 봐, 만약 온갖 종류의 무시무시한 무기로 무장한 출처 불명의 많은 검둥이들이 갑자기 나타나 딜에서 그레이브스엔드¹⁵⁾에 이르는 길을 오가며 길 양쪽에서 시골뜨기들을 붙잡아 그 무거운 짐을 옮기게 했다고 생각해 보라고. 그러면 그 근처에 있는 농장이나 오두막 들이 대번에 텅 비게 될 것을 상상할 수 있지. 바로 이곳에서도 사람들의 거주지가 사라져 버렸던 거야. 그러나 사람들이 버리고 떠난 마을을 우리가 몇 군데 지나가긴 했어. 풀이엉으로 벽을 두른 폐가(廢家)들은 어쩐지 애감을 자아낼 정도로 유치해 보이는 데가 있더군. 날이면 날마다 내 등뒤에서는 짐을 60파운드씩 진 60쌍의 맨발들이 뚜벅뚜벅 걷거나 질질 끌리는 소리를 냈어. 천막을 친 후 식사하고 잠을 자고는 다시 천막을 거두고 행진했지. 이따금 짐을 옮기다 죽은 운반원이 오솔길 근처의 무성한 풀 속에 누워 있었고 그 옆에는 텅 빈 물바가지와 기다란 지팡이가 놓여 있기도 했어. 깊은 정적이 그 주위와 허공을 둘러싸고 있었지. 조용한 밤이면 가끔 먼 곳에서 들려오는 북소리의 진동이 가라앉았다 부풀어 올

---

15) 템스강 하구 남쪽에 있는 켄트주의 도시들.

랐다 했어. 그건 광범위하게 울려 퍼지는 희미한 진동이었는데 섬뜩하게 호소하는 듯했고 암시적인가 하면 야성적이기도 했어. 아마도 기독교 지역의 종소리에 비교할 만큼 심오한 소리였어. 한번은 제복 단추를 채우지 않은 백인 한 사람이 잔지바르[16] 출신의 여윈 무장 호송원들과 함께 야영하는 것을 보았지. 그는 우리를 환대하며 즐거워했는데 술에 취하지는 않았어. 그는 자기가 그 오솔길의 보수(補修)를 책임지고 있다고 하더군. 나는 그곳에서 3마일쯤 더 가다가 이마에 총을 맞고 죽은 중년 검둥이의 시신을 잘못 디뎌 넘어질 뻔했지. 그 시신을 두고 혹시 항구적 개선(改善)이라고 부를 수 있을까, 그게 아니라면 이렇다 할 도로나 보수한 도로를 보지 못했어. 당시 백인 동행자도 한 사람 있었는데 나쁜 친구는 아니었지. 하지만 꽤 뚱뚱하던 그는 그늘이나 물을 조금이라도 구할 수 있는 지역에서 멀리 떨어진 더운 언덕에서 이따금 기절하는 버릇이 있어 나를 속상하게 했지. 그가 정신을 차릴 때까지 입고 있던 재킷을 벗어 그 녀석의 머리 위에 양산처럼 펼쳐 들고 있어야 했으니 참으로 귀찮은 노릇 아니었겠나. 언젠가 한번 나는 그에게 도대체 아프리카에는 왜 왔느냐고 물어보지 않을 수 없었어. '그야 물론 돈을 벌러 왔지요. 그 밖에 다른 이유가 있겠어요?' 그는 그따위 것은 왜 묻느냐는 듯이 답하더군. 그런데 이번에는 그 친구가 열병에 걸리지 않겠나. 그래서 우리는

---

16) 아프리카 동해안의 작은 영국령 섬. 이곳 주민이 아프리카 전역에서 용병 노릇을 했다.

장대에 달아맨 해먹[17]에 그를 태워 운반할 수밖에 없었어. 그의 체중이 100킬로그램쯤 나갔기 때문에 나는 운반원들과 끝없이 시비를 벌이지 않을 수 없었지. 그들은 더 가지 못하겠다고 버티거나 도망치기도 했고, 밤이면 짐을 가지고 몰래 빠져나가기도 했으므로 반란이나 다름없는 상황이었어. 그래서 어느 날 저녁에 나는 몸짓을 섞어 가며 영어로 연설을 했지. 내 앞에 서 있던 예순 쌍의 눈이 내 몸짓의 뜻을 모조리 알아들었던 모양이야. 이튿날 아침에는 그 해먹을 선발대로 출발시킬 수 있었거든. 하지만 한 시간 뒤에 나는 그 모든 배려가 어느 숲속에서 파탄에 이른 걸 보았어. 그 녀석과 해먹, 담요가 보이고 신음 소리가 들리는 끔찍한 광경이었다네. 그 무거운 장대가 그의 코에 찰과상을 입혔던 거야. 그는 내가 어떤 놈이건 붙잡아 죽이기라도 해야 분이 풀릴 듯한 눈치였어. 하지만 근처에 운반원이라고는 그림자도 보이지 않았어. 아프리카로 떠나기 전에 만난 의사가 '개개인의 정신 상태에 일어나는 변화를 현장에서 지켜보는 것은 과학의 발전을 위해 흥미로운 일이 될 수 있어요.'라고 말하던 것이 생각나더군. 나는 나 자신이 과학적으로 흥미있는 존재가 되어 가고 있다는 느낌이 들더군. 그러나 그 모든 이야기는 아무 소용 없어. 보름째 되던 날 나는 그 큰 강을 다시 보고 절룩거리며 중부 주재소로 들어가게 되었어. 그 주재소는 강물이 둑에 부딪혀 역류하는 곳에 덤불과 숲으로 둘러싸여 있었는데, 한쪽 면은 냄새

---

17) 천이나 그물처럼 엮은 밧줄로 만드는 침대로 흔히 기둥 사에에 매단다.

나는 진흙이 경계를 이루고 나머지 세 면에는 지저분한 골풀 울타리가 둘려 있더군. 출입문이라고는 방치된 울타리의 틈새가 고작이었어. 그러므로 그 주재소의 꼴을 처음 보는 사람이라도 무척 변변찮은 녀석이 그곳을 운영하고 있으리라는 것쯤은 넉넉히 짐작할 수 있었을 거야. 손에 긴 막대를 든 백인들이 건물 사이에서 지겹다는 듯이 나타나 어슬렁거리며 다가오더니 나를 쳐다보고는 곧 어디론지 사라지더군. 그중 한 사람은 검은 콧수염을 기른 건장한 녀석으로 쉽게 흥분하곤 했는데, 내가 신분을 밝히자 굉장한 달변으로 여러 번 이야기에 곁가지를 치면서 내가 타게 될 기선이 강물 속에 빠져 있다고 말했네. 나는 벼락을 맞은 기분이었어. 나는 무엇 때문에, 어쩌다가, 왜 그렇게 되었느냐고 물어보았지. 그런데 '괜찮'다는 거야, 글쎄. 지배인께서 그곳에 계시니까 아무 문제 없다는 거야. '모든 사람이 훌륭하게, 훌륭하게 행동해 왔답니다.' 그가 열띤 어조로 말했어. '가서서 당장 총지배인을 만나 보시죠. 그분이 기다리고 계십니다.'

당장에는 기선이 난파됐다는 게 실제로 어떤 의미인지 모르겠더군. 지금은 그 의미를 알 것도 같아. 하지만 절대 자신 있게 안다고는 할 수 없어. 지금 생각해 보면 확실히 그 모든 사건이 너무 어처구니없어서 도무지 그럴 수 있을까 싶을 지경이네. 그렇지만…… 당장은 그것이 내게 아주 골치 아픈 일로 여겨졌을 뿐이야. 기선이 물에 가라앉아 있었으니까. 이틀 전엔가 갑자기 급한 일이 생겨 어떤 자가 자발적으로 선장 노릇을 하기로 하고 기선에 지배인을 태운 후 강 상류로 출발했다는 거야. 출발한 지 세 시간도 되지 않아 기선이 암초에 부 딪쳐 밑바닥이 찢긴 채 남쪽 강변 근처에서 침몰했다는 거였 어. 이제 내가 탈 배가 없어졌으니 거기서 내가 무얼 해야 할 지 생각해 보았지. 실은 기선을 물속에서 건지려면 할 일이 많 았어. 바로 이튿날부터 나는 그 일에 착수해야 했지. 그러나 그 작업과 그 후 부품을 주재소로 가져오게 해서 수리하는 데 몇 달이나 걸렸다고.

지배인과 나의 첫 면담은 이상했어. 내가 그날 오전에 20마 일을 걸어 그곳에 도착했는데도 그는 나에게 자리에 앉으라고 권하지 않더군. 그는 안색, 생김새, 태도 및 어조가 아주 평범 했지. 중키에 보통 체격이었고 눈은 흔히 볼 수 있는 파란색이 었는데 눈에 띄게 쌀쌀맞았기 때문에 도끼날처럼 예리하고 무 거운 눈초리를 사람들에게 던질 수 있었어. 그러나 그런 때에 도 눈을 뺀 나머지 부분은 그에게 그럴 의도가 없다고 말하 는 듯했어. 그것 말고는 무어라고 단정하기 어려운 희미한 표 정이 그의 입술에 감돌았으니까. 그 표정은 어쩐지 은밀해 보 이는 일종의 미소랄까, 아니, 미소는 아니었어. 지금까지 기억 은 하지만 설명하기 어렵군. 그게 미소였다 해도 무의식적인 미소였겠지. 그러나 그가 무언가를 말한 후에는 잠시 그런 표 정이 심화되곤 했어. 그가 말을 마칠 때마다 그런 표정이 나타 나 마치 자기가 방금 한 말을 봉인(封印)하는 것처럼 가장 흔 해 빠진 어구의 의미마저 아주 헤아리기 어렵게 만들어 버리 곤 했거든. 그는 젊은 시절부터 그 지역에 고용되어 있던 흔한 상인이었을 뿐 그 이상은 아니었어. 사람들은 그의 명에 복종

했지만 그가 사람들에게 애정이나 두려움을 불어넣지는 못했고 존경도 받지 못했지. 그는 그저 불안감만 불어넣었어. 불안감, 바로 그거였어. 어떤 명확한 불신이 아니라 그저 불안감이었지. 그 이상은 아니었어. 그런, 뭐라고 할까, 그런 능력이 얼마나 효과적일지는 알 수 없어. 그에게는 일을 조직한다든가, 주도권을 잡고 일한다든가, 심지어 질서를 잡는 재주 같은 것이 없었거든. 그 주재소의 형편이 말이 아니라는 것 등 몇 가지만 보아도 그 점이 분명히 드러났어. 그는 학식도 지성도 갖추지 못했어. 그가 지배인 자리까지 오를 수 있었던 것은 무엇 때문이었을까? 그건 아마 그가 병에 걸린 적이 없었기 때문일 거야……. 그는 거기서 3년 임기를 이미 세 번이나 채웠으니까……. 뭇사람의 체질이 그곳 기후로 인해 망가지는 판에 혼자서 기세등등하게 건강을 누리고 있었다는 것만으로 큰 힘이 될 수 있었을 테지. 그가 휴가를 얻어 귀국할 때면 크게 소동을 부리고 다녔을 거야. 외모만 다를 뿐 마치 상륙한 선원처럼 굴었을 테니. 그가 어쩌다 한 말을 근거로 나는 그걸 짐작할 수 있었어. 그는 어떤 일도 창의적으로 시작하지 못했고 일상 업무만 진행했을 뿐이야. 그게 다였어. 그러나 그는 대단한 사람이었지. 그가 대단한 사람으로 여겨지는 것은 그 같은 인간을 제어할 방안을 찾기 어렵다는 사소한 사실 때문이야. 그는 그 비결을 한 번도 내비치지 않았어. 아마 그는 속이 텅 빈 인간이었을 거야. 그런 의심이 들지만 일단 망설이게 돼. 왜냐하면 아프리카에서는 그걸 확인해 줄 외적 잣대가 없었기 때문이야. 언젠가 한번은 여러 가지 열대 지방 열병이 그 주재소에 근무하던 직원들을 거의 모두 몸져눕게 한 적이 있었어. 그때 그가 '이곳에 나오는 사람들은 배 속에 창자가 들어 있어선 안 돼.'라고 하더군. 그는 말을 끝내고 그 특유의 미소를 지으며 입을 다물었는데 마치 자기가 관리하던 암흑 세계로 통하는 문을 닫아 버리는 것 같았어. 우리가 그 세계의 면모들을 보았다고 여겨도 그 세계는 이미 봉인되고 만 거야. 식사 시간에 백인끼리 상석(上席)을 차지하겠다고 다투자 그걸 성가시게 여긴 그는 큼직한 원탁을 하나 만들게 했어. 그 원탁을 놓을 집도 지어야 했지. 그게 바로 그 주재소의 식당이었어. 그가 앉는 곳이 바로 상석이고 나머지 자리들은 상하의 차이가 없다는 거였어. 바로 이런 게 그의 한결같은 신념이었음을 느낄 수 있었지. 그는 정중하지도 무례하지도 않았어. 조용했을 뿐이야. 그는 해안에서 온 젊은 뚱보 검둥이를 '보이'로 데리고 있었는데 그 보이가 자기 상전이 보는 앞에서 다른 백인들에게 몹시 건방지게 굴어도 그는 못 본 척하더군.

그는 나를 보자마자 말을 시작했어. 나의 도착이 너무 늦어져 자기로서는 더 기다릴 수 없었다는 거야. 그래서 내 도움 없이 시작했다고 했어. 상류 주재소들을 구원하러 가지 않을 수 없었다는 거야. 이미 너무 여러 차례 지체되었기 때문에 누가 죽었는지 누가 살아남았는지 또 살아 있는 사람들은 어떻게 지내고 있는지 알 수 없었다는 말을 한없이 늘어놓더군. 그는 내 설명은 들을 생각도 하지 않고 편지 봉함(封緘)용 왁스 막대를 만지작거리면서 상황이 '아주아주 심각'하다는 말만 여러 차례 반복하더군. 아주 중요한 주재소 한 곳이 위급한 상

황이고 그곳 소장인 커츠 씨가 병에 걸렸다는 소문도 있다고
했어. 그러면서 그 소문이 사실이 아니기를 바란다는 거야. 커
츠 씨야말로 어쩌구저쩌구……. 나는 지겹고 화가 나더군. 그
래서 '망할 놈의 커츠!'라고 생각했지. 나는 그의 말을 가로채
면서 해안에서 커츠 씨에 대한 이야기를 들은 적이 있다고 했
어. 그랬더니 그가 혼잣말로 '아, 그렇군요. 그쪽에서도 사람들
이 그 사람 이야기를 하는군요.'라고 중얼거리는 거야. 그러고
나서 그는 다시 커츠 씨야말로 자기가 거느리고 있는 가장 소
중한 직원이며 비범한 사람이므로 회사에 더없이 중요한 인물
이라고 장담하더군. 그러니 그가 그토록 걱정하는 것도 이해
됐어. 그는 '아주아주 불안'하다고 했어. 그는 의자에 앉아 눈
에 띄게 안달했고 '아, 커츠 씨가!'라고 소리치더니 들고 있던
왁스 막대를 부러뜨리고는 몹시 놀라는 듯했어. 그러고는 그
가 '기선 수리에 얼마나 시간이 걸릴지……' 알고 싶어 하기에
나는 다시 그의 말을 가로챘지. 배가 고픈 데다 여전히 서서
면담을 하자니 나는 점차 무례해졌어. '그걸 내가 어떻게 알겠
소?' 내가 대꾸했지. '아직 그 난파선을 보지도 못했으니. 틀
림없이 몇 달은 걸리겠죠.' 그 모든 대화가 부질없어 보이더군.
'몇 달이라.' 그가 말하더군. '좋습니다. 석 달이 지나야 우리가
출발할 수 있다고 칩시다. 그래요. 석 달 안에는 수리가 끝나
야죠.' 그는 일종의 베란다가 딸린 진흙 오두막에서 혼자 살았
는데, 나는 '지꺼리기나 하는 백치 녀석'이라며 혼잣말로 욕설
을 중얼대며 그 오두막을 뛰쳐나왔어. 훗날 그가 배 수리에 걸
리는 시간을 얼마나 정확히 산정했는지 알고 놀라움을 금할

수 없게 되자 나는 그를 백치라고 여긴 것을 철회했지.

이튿날부터 나는 일에 착수했다네. 이 말은 그 주재소에서 등을 돌렸다는 뜻이야. 그래야 내가 삶의 구원적(救援的) 측면들을 놓치지 않을 수 있을 것 같았거든. 그러나 우리는 이따금 주위를 돌아보면서 살아야 하지 않나. 그래서 내가 그 주재소를 바라보기라도 하면 직원들이 뜰에 비치는 햇볕 속에서 아무 목표도 없이 어슬렁거리는 모습이 보이더군. 나는 그게 모두 무슨 의미일지 혼자 궁금해하곤 했지. 그들은 우습게 생긴 기다란 막대를 손에 들고 여기저기 헤매고 다녔는데 마치 신앙을 잃은 순례자 무리가 썩은 울타리 안에서 마법에 걸려 있는 것 같더군. '상아'라는 낱말이 허공에서 울리고 속삭여지는가 하면 더러는 한숨에 섞이기도 했지. 자네들이 그 광경을 보았다면 그 사람들이 상아에 대고 기도라도 드린다고 생각했을 거야. 백치 같은 탐욕의 색채가 마치 시체 썩는 냄새가 확 풍기듯 모든 것에 번지고 있었어. 정녕 내 평생 그처럼 현실감 없는 광경을 일찍이 본 적이 없네. 그런데 대지의 그 작은 공지(空地)를 둘러싸고 있던 말 없는 밀림이 마치 악령이나 진실처럼 무언가 위대하고 정복될 수 없는 모습으로 나에게 엄습해 왔고 그 어처구니없는 침략이 종식되기를 참을성 있게 기다리고 있는 듯했어.

아, 그 몇 달을 생각하면 참 기가 막혀. 하지만 이쯤 해 두기로 하지. 여러 가지 일이 일어났네. 어느 날 저녁에 옥양목이니 나염한 면직물이니 구슬 말고도 이루 셀 수 없이 많은 물건이 가득 들어 있던 초막채에 불이 붙었는데 불길이 너무 갑작스럽게 치솟은 나머지 마치 대지가 갈라져서 모든 쓰레기 같은 상품들을 태워 버리려고 복수의 불을 뿜었나 보다고 생각될 지경이었어. 그때 나는 해체해 놓은 내 기선 곁에서 조용히 담배를 피우고 있었지. 사람들이 팔을 높이 쳐들고 불빛 속에서 미친 듯이 날뛰는 광경이 보이더군. 그때 콧수염을 기른 건장한 사내가 손에 양동이를 들고 강으로 뛰어오더니 모든 사람이 '훌륭하게, 훌륭하게 행동하고' 있다고 내게 다짐하고는 1리터도 되지 않는 물을 떠서 왔던 길을 황급히 되돌아갔네. 그런데 보니까 그 양동이에 구멍이 나 있더군.

나는 천천히 올라가 보았어. 서두를 이유가 없었거든. 그 초막은 성냥갑처럼 타 버렸으니까. 불길을 잡을 가망은 처음부터 없었어. 불길은 높이 솟더니 사람들의 접근을 허용치 않았고 모든 것을 환하게 비추더니 결국 주저앉고 말더군. 초막은 어느새 뜨겁게 이글거리는 잿더미로 변해 있었어. 근처에서 한 검둥이가 구타당하고 있었는데 그가 어떤 경위로 불을 냈다는 거야. 진위야 어떻든 검둥이는 끔찍한 비명을 질렀어. 그 후 며칠 동안 그는 아주 아파 보이는 몰골로 그늘에 앉아 기력을 찾으려 했지. 나중에 그가 일어서더니 그늘을 벗어나더군. 그때 밀림은 소리 없이 그 검둥이를 다시 가슴속에 맞아들이더라고. 내가 어둠 속에서 나와 그 화재 현장으로 다가갔을 때 내 앞에서 두 사람이 말을 주고받고 있었어. 커츠 씨의 이름이 거론됐는데 이내 '이 불행한 사건을 이용해' 운운하는 소리가 들리더라고. 그중 한 사람이 지배인이기에 나는 그에게 저녁 인사를 했지. 그는 '세상에 이런 꼴을 본 적 있소? 믿을 수 없는 일이죠.'라고 말한 후 걸어가 버리더군. 나머지 한 사람은 그 자리에 남아 있었어. 그는 일급 회사원으로 젊고 신사다웠는데 약간 과묵한 편이었고 매부리코에 포크처럼 갈라지는 턱수염을 기르고 있었지. 그는 다른 직원들에게 쌀쌀맞은 편이어서 직원들 측에서는 그가 지배인의 사주로 염탐을 한다고 주장하더군. 나는 그때까지 그에게 말을 걸어 본 적이 없었어. 우리는 대화를 시작했고 아직 불티가 탁탁 튀는 화재 현장을 떠나 어슬렁거렸지. 그러자 그가 본관 건물에 있던 자기 방으로 나를 초대하더군. 그는 성냥을 그었고 나는 그 젊은 귀족이 은으로 장식된 세면구 상자를 가지고 있을 뿐 아니라 초 한 자루를 독점해 쓰고 있는 것까지 알게 되었어. 당시에는 오직 지배인만 촛불을 켤 권한이 있다고 여겨졌거든. 원주민들이 만든 매트가 진흙 벽에 덮여 있었고 창, 가느다란 투창, 방패, 칼 같은 수집품들이 기념물로 걸려 있더군. 그 친구에게 맡겨진 임무는 벽돌을 만드는 일이라고 들었지만 주재소 어디에도 벽돌 조각이라고는 보이지 않았어. 그런데도 그는 그곳에서 1년 이상 기다리고 있다고 하더군. 어떤 재료가 부족해서 벽돌을 만들지 못하는 듯했어. 그 재료가 무엇인지는 알 수 없었지만 혹시 짚이 아닌가도 싶더군. 하여간 그 재료를 구할 수 없었고 유럽에서 보내올 성싶지도 않았기 때문에 그가 무얼 기다리는지 나는 분명히 알 수 없었어. 아마도 무언가 특별한 것을 만들려고 했던 것 같아. 어쨌든 모든 사람이 기다리고 있었어. 모두 열여섯 명인가 스무 명인가 되는 사람들이 무엇인가를 기다리고 있었던 거야. 내가 보기에 정녕 그들을 찾아오는 것이라고는 질병밖에 없었지만, 그들의 태도로 미루어 보건대 기다리는 일이 그들의 생리에 맞지 않는 것은 아닌 듯했어. 그들은 바보처럼 서로 헐뜯고 모함할 궁리를 하면서 시간을 보냈거든. 주재소에서 모종의 음모가 진행되는 기색이 감돌았지만 물론 아무 일도 일어나지는 않더군. 그 모든 사업이 내세우던 박애적 구실, 그들이 주고받은 말, 그들의 운영 체계, 그들이 보여 준 사업의 겉모습 같은 것들만큼 그 기색도 실감 나지 않았으니까. 실감 나는 느낌이 있었다면 그것은 상아를 구할 수 있는 거래소 근무 명령을 받고 사업 실적에 따라 일정 비율의 성과급을 벌어들였으면 하는 욕구뿐이었어. 바로 그런 이유에서 그들은 서로 음모를 꾸미고 헐뜯고 미워했지만 실제로는 손가락 하나도 절대 까딱하지 않았어. 정녕 이 세상 이치(理致)는 어떤 사람에게 말을 훔치게 하고 어떤 사람에게는 말의 굴레를 쳐다보지도 못하게 하나 봐. 눈치 보지 않고 말을 훔치겠다고? 좋아. 실제로 말을 훔쳐 타고 다닐 수도 있겠지. 그러나 말을 훔치기는커녕 굴레만 쳐다봐도 가장 자비로운 성인들까지 화를 내게 하는 경우도 있는 법이야.

나는 그가 왜 나에게 살갑게 구는지 알 수 없었네. 그러나 우리가 거기서 이야기를 나누는 동안 그가 무엇인가를 알아내고자 한다는, 사실 내게서 무엇인가를 얻으려 한다는 생각도 문득 들더군. 그는 끊임없이 유럽 이야기를 하면서 그 회칠한 무덤 같은 도시에 사는 내 친지 등에 대한 유도심문을 함으로써, 자기 딴에는 내가 알겠거니 짐작하는 그쪽 사람들을 언급하더군. 그는 약간 오만한 자세를 유지하려 했지만 그 작은 눈만은 호기심으로 반짝이는 운모(雲母) 디스크 같았어. 처음에는 놀랐지만 이내 나는 그가 대체 무슨 정보를 캐내려는 걸까 몹시 궁금해지더군. 내가 가진 정보가 그에게 애써 추궁할 가치가 있으리라고는 상상할 수 없었거든. 그가 아무것도 얻지 못해 실망하는 꼴은 참으로 재미있더군. 사실 나는 그에게 쌀쌀맞은 인간으로 느껴졌을 테고, 내 머릿속에는 그놈의 기선을 수리할 생각밖에 없었으니까. 그는 나를 아주 염치없는 거짓말쟁이로 여기고 있음이 분명했어. 결국 그는 화를 냈고 몹시 속상하다는 몸짓을 감추기 위해 하품을 하더군. 나는 자리에서 일어났어. 바로 그때 유화 물감으로 패널에 그린 작은 스케치 작품이 보이더군. 옷을 입고 천으로 눈을 가린 채 횃불을 들고 있는 여인을 그린 그림이었어. 그림의 배경은 어둡다 못해 거의 캄캄했어. 그녀의 동작은 당당했지만 횃불이 그녀의 얼굴에서 음산한 효과를 빚어내더군.

그 그림을 보고 나는 걸음을 멈추었어. 그는 내 옆에 정중히 서 있었는데 손에는 양초가 꽂힌 반 파인트짜리 빈 샴페인(의약용이라든가?) 병이 들려 있었어. 내가 그림의 내력을 묻자 그는 커츠 씨가 그 주재소에 머물며 장차 근무할 거래소까지 타고 갈 선편을 기다리는 동안 그걸 그렸는데 벌써 1년도 더 됐다고 하더군. '이봐요.' 하고 내가 물었지. '도대체 그 커츠 씨란 분은 누군가요?'

'내륙 주재소의 소장이지요.' 그가 내게서 얼굴을 돌리며 퉁명스럽게 말하더군. '감사합니다.' 나는 웃으며 말했어. '그런데 당신은 이 중부 주재소의 벽돌공이시죠. 다들 그렇게 알고 있던데요.' 그는 잠시 동안 말이 없었어. '그분은 천재랍니다.' 그가 드디어 입을 열더군. '그분은 연민과 과학과 진보, 그 외에 여러 가지 것들을 전파하는 사자(使者)지요.' 그가 갑자기 웅변조로 말하기 시작했어. '유럽이 우리에게 위탁한 대의명분의 인도를 받기 위해서는, 뭐랄까, 보다 높은 지성, 넓은 공감력, 단일한 목표 같은 것이 필요하답니다.' '누가 그런 말을 합니까?' 내가 물어보았지. '많은 사람들이 그렇게 말하지요.' 그가 대답하더군. '어떤 사람들은 그런 글을 쓰기도 한답니다. 그래서 그처럼 특별한 분이 이곳에 온 거지요. 바로 이 점을 아셔야 합니다.' '내가 그런 것을 왜 알아야 합니까?' 몹시 놀란 나머지 내가 물었지. 그는 내 질문을 들은 척도 하지 않더군. '그렇습니다. 지금은 그분이 가장 좋은 주재소의 소장으로 있지만 내년에는 부지배인으로 승진할 것이고 다시 2년이 지나면……. 하지만 2년 후에 그분이 어떤 위치에 있을지 당신은 아시겠네요. 당신은 새로 오신 분들 중 한 사람으로, 말하자면 잘난 분들 축에 드니까요. 바로 커츠 씨를 특별히 이곳으로 보낸 분들이 당신까지 추천했던 겁니다. 이 말을 부인하지 마십시오. 내게도 그 정도는 알아볼 눈이 있답니다.' 그때 내 마음속에서는 한 가지 생각이 환히 떠오르더군. 내 숙모님의 힘센 친지들이 그 젊은이에게 뜻밖의 영향을 미치고 있었던 거야. 그래서 나는 그만 웃음을 터뜨릴 뻔했지. '혹시 당신은 회사의 기밀 통신문이라도 보고 계신가요?' 내가 물어보았지. 이 물음에 그는 아무 말도 하지 않더군. 참으로 재미있는 상황이었어. 그래서 나는 좀 매정하게 말해 버렸지. '커츠 씨가 총지배인이

되는 날이면 당신이 승진할 기회는 없어지겠군요.'

그가 갑자기 촛불을 훅 불어 끄더군. 그리고 우리는 밖으로 나갔지. 어느새 달이 떠 있더군. 검은 형체들이 힘없이 오락가락하며 물을 퍼부어 불을 끄고 있었고 피시시 피시시 불이 꺼지는 소리가 들리더군. 달빛을 받으며 수증기가 솟아올랐고 매 맞은 검둥이가 어디선가 신음 소리를 내고 있었어. '저놈이 왜 저리 시끄럽게 굴어!' 지칠 줄 모르는 콧수염 사내가 내게 다가오면서 말하더군. '맞아도 싸지, 싸. 규정을 어겼으니 처벌을 받아야지. 두들겨야지! 무자비하게, 무자비하게 두들겨야 합니다. 그렇게 대하는 수밖에 없어요. 그래야만 앞으로 화재를 막을 수 있을 테니까. 지배인께도 막 그렇게 말씀드렸답니다……' 그가 나와 함께 있던 사람을 알아보고 당장에 풀이 죽더군. '아직 자리에 드시지 않았군요.' 그는 비굴할 정도로 정중하게 말했어. '그것도 당연하지요. 하! 위험하니까요. 선동이 있을지도 모르거든요.' 그가 이 말을 하고 사라지더군. 나는 강가로 나갔고 함께 있던 사람도 나를 따라왔어. 그때 내 귓전에 나직이 헐뜯는 소리가 들리더군. '얼간이들 같으니라고. 참 별꼴이야.' 백인들이 끼리끼리 모여 몸짓을 섞어가며 논쟁을 벌이고 있는 모습이 보이더군. 몇몇은 아직도 손에 막대기를 들고 있었어. 정말이지 그들이 막대기를 잠자리까지 들고 갈 거라는 생각이 들더라고. 울타리 저편에는 밀림이 달빛을 받으며 유령처럼 서 있었고, 그 희미한 떨림 사이로, 을씨년스러운 뜰에서 들려오는 그 희미한 소리 사이로 대지의 침묵이 그 신비며 웅대함, 그것이 감추고 있는 생명의 경이로운 실체를 우리의 가슴에 절실히 와닿게 만들었지. 근처 어딘가에서 매 맞은 검둥이가 가냘프게 신음하다가 깊은 한숨을 몰아쉬었기 때문에 나는 그만 종종걸음으로 그곳을 떠날 수밖에 없었어. 그때 누군가가 손으로 내 팔을 붙잡는 것이 느껴졌지. '선장님.' 그 녀석이 말하더군. '나는 오해받고 싶지 않습니다. 특히 선장께 오해받고 싶지 않습니다. 선장께서는 나보다 훨씬 앞서서 커츠 씨를 만나실 테니까요. 그분이 내 성향을 행여나 잘못 알게 될까 두렵습니다……'

나는 그가 말을 계속하게 내버려 두었지. 그는 짓이긴 종이에 풀을 먹여 만든 메피스토펠레스[18] 같은 사람이었어. 그래서 집게손가락으로 그의 배를 푹 찔러 보면 그 속에서 약간의 흐느적거리는 오물밖에 찾아볼 수 없을 것 같더군. 그는 당시의 지배인 아래서 결국 부지배인이 되겠다는 계획을 세우고 있었던 거야. 그러던 차에 그 커츠라는 자가 나타나 그만 두 사람은 꽤 속상해하고 있었어. 그는 허둥대며 이야기를 늘어놓았고 나는 그의 말을 막으려 하지 않았어. 내가 탈 기선은 강에 사는 커다란 짐승의 시체처럼 강 언덕에 인양되어 있었고 나는 그 선체에 어깨를 기대고 있었지. 진흙 냄새, 그 태초의 진흙 냄새가 코를 찔렀고 태초의 숲이 깊은 정적에 싸인 채 눈앞에 펼쳐져 있었어. 그런데 그 검은 샛강에서 반짝이는 것들이 더러 보이더군. 달이 만물 위에 은빛의 얇은 층을 펼쳐 놓았던 거야. 무성한 풀밭, 진흙, 사원의 벽보다 더 높이 서

---

18) 파우스트를 유혹했다는 악마의 이름.

있는 그 빽빽한 밀림의 벽, 반짝거리며 소리없이 광대히 흐르는 풍경을 어두운 틈새로 드러내 보이던 그 큰 강 따위가 온통 달빛을 받고 있었지. 그 사람이 자신의 이야기를 재잘거리는 동안 그 모든 것은 의젓했고 무언가를 기다리는 듯 말이 없었어. 나는 우리 두 사람을 바라보던 그 거대한 세계의 표면에 깔린 정적이 호소하는 건지 아니면 위협하는 건지 알 수 없었어. 우리가 무슨 자격으로 그 세계로 들어왔을까? 우리가 그 말 없는 세계를 지배할 수 있을까, 아니면 그 세계가 우리를 지배하게 될까? 말을 할 줄 모르고 아마 귀까지 먹었을 그 세계가 실로 엄청나게 거대하다는 것을 나는 절감했어. 그 세계에는 무엇이 들어 있었을까? 그 세계에서 약간의 상아가 나오는 것을 볼 수 있었고 그 속에 커츠 씨가 머물고 있다는 말도 들렸지. 정말 그 말을 실컷 듣고 있었어. 하지만 어찌 된 셈인지 나는 거기서 어떤 이미지도 떠올릴 수 없더라고. 그것은 마치 내가 그 속에 천사나 악마가 산다는 말을 들으면 그것을 마음속으로 떠올릴 수 없는 것이나 마찬가지였을 거야. 자네들 중 누군가가 화성에 사람이 산다는 말을 믿는지 모르겠네만 그 세계에 대한 나의 믿음은 화성에 대한 자네들의 믿음에 비유될 수 있을 거야. 언젠가 한번 나는 화성에도 사람이 있다고 확신하는 스코틀랜드 출신의 돛 제조업자를 만난 적이 있어. 그에게 화성인의 생김새와 행동을 설명해 보라고 청하면, 그는 수줍어하면서 '네 발로 걸어 다닐 것'이라느니 어쩌니 하면서 어물거렸지. 그 말을 듣고 웃어 버리면 그는 나이가 예순이나 된 주제에 싸울 듯이 덤벼들곤 했어. 나야 어차피 커츠라는 사람 때문에 싸움까지 하지는 않았을 거야. 그러나 나는 그를 위해 거짓말 비슷한 걸 한 적은 있었어. 자네들도 알다시피 나라는 사람은 거짓말을 증오하고 혐오하고 용납하지도 않거든. 내가 다른 사람들보다 더 정직하기 때문도 아니고 그저 거짓말이 내게는 끔찍하기 때문이야. 거짓말에는 죽음의 색깔이 감돌고 인간 필멸(必滅)의 냄새도 나지 않는가. 바로 거짓말의 이런 속성이야말로 내가 이 세상에서 증오하고 혐오하는 것이며 잊어버리고 싶은 것이기도 하네. 그리고 그런 속성은 마치 무언가 썩은 것을 한 입 물었을 때처럼 나를 비참하게 하고 구역질나게 하네. 그건 물론 내 기질 탓이지. 그런데 나는 그 바보 같은 젊은이가 유럽에 있는 내 영향력 있는 후견인들에 대해 자기가 상상한 것을 제멋대로 믿도록 내버려 둠으로써 그만 거짓말을 한 것이나 다름없네. 그래서 순식간에 나는 마력에 사로잡힌, 나머지 백인들만큼이나 허식(虛飾)투성이가 되어 버렸던 거야. 그 이유는 아주 단순해. 그렇게 하는 것이 당시 아직 보지도 못한 그 커츠란 자에게 무언가 도움이 될 것이라 여겼기 때문이야. 알겠나? 나에게 그 자는 그저 하나의 이름이었을 뿐이야. 그때 나는 지금 자네들이 그를 상상할 수 없는 것이나 마찬가지로 이름만 가지고는 그 자를 상상할 수 없었네. 자네들은 그 자를 상상할 수 있는가? 자네들은 그의 이야기를 상상할 수 있는가? 도대체 자네들은 무엇이건 상상할 수 있는가? 지금 나는 자네들에게 마치 어떤 꿈 이야기를 하려고 애쓰는 것 같아. 헛된 노력일 수밖에 없지. 왜냐하면 기를 쓰는 반항의 떨림에 뒤섞여 있는 그 부조리, 경악과 당혹감이라든가, 꿈의 본질이랄 수 있는 그 믿을 수 없는 것들의 세계에 붙잡혀 있는 것 같은 꿈속의 느낌이야말로 어떤 꿈 이야기로도 전달할 수 없기 때문이야……."

말로는 한동안 말이 없었다.

"전달할 수 없고말고. 그걸 전달하기란 불가능해. 우리 일생의 특정 시기에 대한 삶의 느낌, 다시 말해 그 진실과 의미를 구성하는 것, 그러니까 미묘하게 꿰뚫는 본질은 전달할 수 없어. 우리는 꿈꾸듯 살고 있으니, 그것도 혼자서……."

그는 다시 말을 멈추고 생각에 잠긴 듯하더니 이윽고 말을 이었다.

"물론 이 이야기에서 자네들은 당시 내가 볼 수 있었던 것보다 더 많은 것을 볼 수 있겠지. 자네들이 잘 아는 나라는 사람을 눈앞에 두고 보고 있기라도 하니까……."

어느새 칠흑같이 어두워졌기 때문에 말로의 이야기를 듣고 있던 우리는 서로의 얼굴을 볼 수 없었다. 혼자 떨어져 앉아 있던 말로가 우리에게는 어느새 하나의 목소리에 불과해진 지 오래였다. 아무도 말이 없었다. 다른 사람들은 혹시 잠이 들었을 수도 있지만 나는 깨어 있었다. 나는 귀를 기울였다. 강가의 무거운 밤 공기 속에서 인간의 입을 통하지 않고 저절로 형성되고 있는 듯하던 그 이야기가 내게 불어넣던 희미한 불안감을 이해하는 데 단서가 될 만한 대목이나 낱말을 하나도 놓치지 않으려고 귀를 기울였다.

"……그래, 나는 그가 계속 지껄이도록 내버려 두었어." 말로가 다시 이야기를 시작했다. "그리고 나를 돌봐 주던 그 영향력 있는 사람들에 대해 그가 멋대로 생각하게 내버려 두었지. 내버려 두었다니까! 그런데 사실 내 뒤에는 아무도 없었다네. '모든 사람이 출세할 필요'가 있다며 그가 유창하게 지껄이는 동안 사실 내 뒤에는 내가 기대고 있던 처참하게 망가진 낡은 기선밖에 없었어. '누구나 이런 곳에 나올 때에는 그저 달이나 쳐다보려고 오지는 않아요.' 커츠 씨는 '모든 일에 능한 천재'였지만, 천재라 해도 '적절한 도구를 가지고, 즉 이지적인 사람들과 함께' 일하는 것이 더 수월하다는 것을 알게 될 것이라고 하더군. 그는 벽돌을 만들지 않고 있었지만 그건, 나도 잘 알다시피, 벽돌을 만들기가 실제로 불가능하기 때문이라는 거였어. 그리고 그가 지배인의 비서 역할을 하고 있는 것도 '지각 있는 사람이라면 상관의 신임을 경망스럽게 저버리지 않을 것이기 때문'이라는 거였어. 그러고 나서 그가 자기 말을 알아듣겠느냐고 묻더군. 그래서 알아듣겠다고 대답했지. 그러니까 나에게 무얼 더 원하느냐고 묻더군. 내게 정말 필요한 것은 대갈못이었어. 대갈못이 필요했다고. 기선을 계속 수리하려면, 기선의 물 새는 구멍을 막으려면 대갈못이 필요했단 말이네. 해변에는 대갈못이 상자로 쌓여 있었고 그 상자가 터지거나 갈라져 있기도 했지. 언덕 위에 있던 그 주재소 마당에서도 발길마다 대갈못이 걷어차였어. 대갈못이 그 죽음의 숲속까지 굴러 들어가고 있었으니까. 허리만 굽히면 대갈못을 주머니 가득 주워 담을 수도 있었거든. 그런데도 정작 대갈못이 필요한 곳에서는 그걸 하나도 찾아볼 수 없었어. 기선의 구멍을 땜질하는 데 쓸 철판은 있었지만 그 철판을 기선에 고정할 대갈못이 없었단 말이네. 매주 검둥이 심부름꾼이 어깨에 편지 가방을 메고 손에 지팡이를 들고 외로이 우리 주재소를 떠나 해변 쪽으로 나가곤 했지. 그리고 매주 몇 차례씩 해변에서 출발한 대상(隊商)이 교역 상품을 싣고 들어왔어. 그 상품들이란 쳐다보기만 해도 진저리가 날 정도로 꼴사납게 광택을 낸 옥양목이라든가, 1쿼트[19]에 1페니밖에 나가지 않을 싸구려 유리구슬이라든가, 물방울 무늬가 있는 무명 손수건 같은 것들이었다네. 그런데도 대갈못은 오지 않았어. 운반원 셋만 있어도 그 기선을 물에 띄우는 데 필요한 대갈못을 충분히 운반해 올 수 있었을 텐데 말이네.

그러자 그의 어조가 아주 내밀해지기 시작하더군. 그렇지만 내가 계속 아무 응수도 하지 않자 그는 결국 화가 났던 모양이야. 자기는 어떤 인간을 무서워하기는커녕 신이나 악마도 무서워하지 않는다는 말을 굳이 나에게 해 둘 필요가 있다고 판단했던 거야. 그래서 나는 잘 알겠노라고 대답했지만, 내게 당장 필요한 것은 어느 정도의 대갈못이며 만약 커츠 씨가 이런 사정을 알았다면 그분 또한 대갈못을 원했을 것이라고 말해 두었지. '존경하는 선장님.' 그가 소리치더군. '나야 지시받는 대로 편지를 쓴답니다.' 나는 대갈못을 요구했어. 머리 좋은 사람에게는 무슨 방도가 있을 거라고 했어. 그는 태도를 바꾸어 아주 냉정해지더니 갑자기 어떤 하마 이야기를 하기 시작했어. 내가 낮이나 밤이나 내 난파선을 떠나지 않는다

---

19) 1쿼트는 약 1.11리터이다.

는 것을 알던 그는 그 기선에서 잠을 잘 때 숙면을 방해받지 않느냐고 묻더군. 늙은 하마 한 마리가 강둑으로 올라와 밤에 주재소 마당을 어슬렁거리고 다니는 나쁜 버릇이 있다고 했어. 그때마다 백인들이 몰려나와 손에 잡히는 대로 소총을 들고 그 하마를 쏘아 댄다는 거였어. 몇몇 사람은 밤에 잠도 자지 않고 그 하마가 나타나는 것에 대비했다는 거야. 그러나 그렇게 애썼는데도 모두 허사였대. '그 짐승에게는 불멸의 생명이 있나 봐요.' 그가 말했어. '그렇지만 이곳에서는 불멸의 생명이라는 말이 오직 짐승들에게만 통하지요. 인간은 누구도 불멸의 생명을 가질 수 없으니까요. 아시겠어요?' 그는 그 연약한 매부리코를 삐딱하게 하고 그 운모 디스크 같은 눈을 깜박이지 않고 반짝이면서 달빛 아래 잠시 서 있더니 이윽고 퉁명스럽게 내게 잘 자라고 인사하고 성큼성큼 가 버리더군. 보아하니 그는 심란해서 상당히 어리둥절해했는데, 그걸 보니 며칠 전에 비해 더 많은 희망을 품을 수 있게 되더군. 그 녀석을 떠나 비록 망가지고 뒤틀리고 낡아 빠진 깡통 같았으나마 영향력 있는 친구처럼 느껴지곤 하던 기선 쪽으로 향하며 나는 커다란 위안을 받았어. 갑판으로 올라가니 발아래에서 배가 마치 발길에 차여 하수구를 따라 굴러가는 텅 빈 헌틀리 앤드 파머스[20] 비스킷 깡통처럼 쿵쿵 울리더군. 그 배는 도무지 만듦새가 견고하지 않고 생김새도 아름답지 않았으나 그것을 고치느라 많은 노력을 들이는 사이 나는 그만 그 배를 사

_____

20) 영국의 유명한 과자 회사.

랑하게 됐어. 그 어떤 영향력 있는 친구들도 내게는 그 배보다 더 쓸모 있지 않았을 거야. 그 배는 나에게 일터에 나가 내 능력으로 할 수 있는 일이 무엇인지 알아낼 기회를 주었거든. 물론 나는 일을 좋아하지 않아. 나도 빈둥대면서 내가 할 수 있는 모든 훌륭한 일을 공상이나 하면 좋겠다고. 나는 일을 좋아하지 않아. 일을 좋아하는 사람이 어디 있겠나? 하지만 나는 일에 함축되어 있는 것을 좋아한다네. 그건 자아를 발견할 수 있는 기회야. 다른 사람들을 위해서가 아니라 우리 자신을 위해 자신의 실체를 알아내는 것인데, 이 실체야말로 다른 사람들은 알 수가 없지. 다른 사람들은 외양만 볼 수 있을 뿐 그 외양이 실제로 무엇을 의미하는지는 결코 알 수 없는 법이야.

누군가가 고물 쪽 갑판에 앉아서 진흙 위로 두 다리를 늘어뜨리고 있었지만 그걸 보고 나는 놀라지 않았어. 그 주재소에는 기능공이 몇 명 있었는데, 생각건대 예의를 모른다는 이유로 다른 백인들이 그들을 당연히 멸시했지만 나는 그들과 친하게 지내는 편이었네. 갑판에 앉아 있던 사람은 십장으로, 직종으로 따지면 보일러 제조공인데 훌륭한 일꾼이었지. 그는 깡마르고 뼈가 앙상하고 안색이 누리끼했으나 그 큰 눈만은 열렬해 보였어. 그는 근심에 젖은 모습이었고 머리는 내 손바닥만큼이나 벗겨져 있었어. 하지만 머리에서 흘러 내려온 머리카락이 그의 턱에 달라붙어 그 새 터에서 무성하게 자라고 있었던가 봐. 턱수염은 자라서 허리까지 내려갔으니까. 홀아비였던 그에게는 여섯 명의 어린 자녀들이 있었는데 그곳으로 나오려고 그 애들을 누이에게 맡겼다는 거야. 그런데 그가 평생 정성을 들인 도락은 비둘기 날리기였대. 그는 비둘기에 열정적이었고 좋은 비둘기를 알아보는 안목도 있었어. 그는 또 비둘기 이야기만 나오면 미친 듯이 떠들곤 했지. 일과가 끝난 후에 이따금 그는 자기 오두막에서 나를 찾아와 아이들 이야기와 비둘기 이야기를 늘어놓곤 했어. 일을 하다가 기선 밑바닥의 진흙 속으로 기어 들어가야 할 때면 그는 수염을 싸려고 가져온 하얀 냅킨으로 수염을 묶었어. 그 수염은 고리가 되어 두 귀에 걸리곤 했지. 저녁이 되면 그가 강둑에 웅크리고 앉아 조심스럽게 수염 싸개를 강물에 헹궈 엄숙하게 관목 숲에 널어 말리는 모습이 보이기도 했어.

내가 그의 등을 철썩 때리면서 소리쳤지. '우리는 대갈못을 가지게 될 거요!' 그가 벌떡 일어서더니 마치 자기 귀를 믿을 수 없다는 듯이 '아니! 대갈못이라고요!'라고 외치더군. 그러고 나서 나직한 목소리로 '선장께서…… 그렇다고요?'라고 하더군. 지금 생각해도 그때 우리가 왜 미치광이들처럼 행동했는지 알 수가 없어. 나는 손가락을 코 옆에 대고 모호하게 고개를 끄덕였어. '잘됐군요.' 그가 소리치고 한쪽 발을 쳐들면서 머리 위로 손가락을 퉁기더군. 나는 지그 춤을 추는 시늉을 해 보았지. 우리는 함께 철제 갑판에서 날뛰고 다녔다네. 쿵쾅쿵쾅 무시무시한 소리가 선체에서 울려 나왔고 샛강 건너편의 처녀림이 그 소리를 우뢰 같은 메아리로 바꿔 삼든 주재소 쪽으로 되돌려 보내더군. 그 소리 때문에 몇몇 백인들이 지저분한 거처에서 자다가 벌떡 일어났을 거야. 지배인의 오두막에서는 어두운 모습이 나타나 불 켜진 문간에서 어른

거리더니 사라졌고 몇 초 후에는 문간도 보이지 않더군. 우리가 난동을 중단하자 발 구르는 소리에 밀려났던 정적이 대지의 구석구석에서 흐르듯이 되돌아왔어. 거대한 성벽처럼 두르고 있던 밀림은 나무둥치, 굵은 가지, 잔가지, 잎, 늘어진 덩굴 같은 것들이 흐드러지게 뒤엉킨 거대한 덩어리였는데 달빛 속에서 꼼짝 않고 있었기 때문인지 마치 소리 없는 생명의 어지러운 침입 같았어. 그리고 샛강 쪽으로 무너져 내릴 듯이 가파르게 쌓여 있던 수목의 물결이 우리 미미한 인간들을 미미한 존재에서 싹 쓸어 버릴 듯했어. 그런데 사실 그 밀림은 꼼짝도 하지 않았지. 먼 곳에서 줄기차게 물장구치는 소리와 콧바람 소리가 숨죽인 채 우리 쪽으로 들려왔는데 마치 쥐라기의 어룡(魚龍)들이 그 큰 강에서 몸뚱이를 번뜩이며 목욕이라도 하고 있는 듯했어. 그때 보일러 제조공이 농담을 거두고 조리 있는 어투로 말하더군. '어쨌든 우리가 대갈못을 구하지 못할 이유는 없지 않겠어요?' 없고말고. 우리가 대갈못을 구하지 못할 이유는 생각할 수 없었지. '3주일 후면 도착할 겁니다.' 내가 자신 있게 말했어.

그러나 대갈못은 오지 않더군. 그 대신에 침략이랄까 가해(加害)랄까 하늘에서 내려온 징벌이랄까 할 만한 것이 찾아왔지. 그것은 3주일 동안 몇 개로 나뉘어 나타났어. 매번 그 선두에는 당나귀 한 마리가 새 옷에 갈색 구두를 신은 백인을 태우고 나타났는데 그 백인은 당나귀 잔등에 올라탄 채 감명받은 듯 서 있던 주재소의 백인들을 향해 좌우로 절을 했네. 당나귀 뒤에는 발이 아파 속상해하는 검둥이 무리가 말싸움을 하며 털레털레 걸어오고 있었어. 많은 천막, 야영용 걸상, 깡통 상자, 하얀 상자, 갈색 꾸러미 같은 것들이 마당에 던져지면 주재소의 난장판 풍경에 불가사의한 분위기가 약간 심화되곤 했지. 이런 집단이 다섯 차례 도착했는데 모두 수많은 용품 가게와 식품점을 공략한 후 약탈물들을 가지고 어지럽게 도망쳐 나온 듯 보기 흉했고, 노략질한 물건들을 공평하게 나누기 위해 밀림 속으로 끌고 들어온 것처럼 보였어. 그 어지럽게 뒤엉킨 물건들이야 그 자체로 나무랄 데 없었지만 인간의 우둔함으로 인해 마치 도적질한 물건처럼 보였던 거야.

그 헌신적인 무리는 자칭 엘도라도 탐험대였는데 대원들이 비밀을 지키기로 서약했었나 봐. 그러나 주고받는 말을 들어 보니 그들은 추잡한 해적들 같았고 모두 배짱 없이 무모한가 하면 담력 없이 탐욕스럽기만 했고 용기 없이 잔인하기만 했어. 그 무리의 어느 구석을 들여다보아도 선견지명이라든가 진지한 의도라고는 한 점도 찾아볼 수 없었고, 세상만사에 그런 것이 필요하다는 것조차 그들은 인식하지 못하는 듯했어. 땅의 배를 갈라 그 속에 담긴 보물을 뜯어내자는 것이 그들의 욕망이었는데, 그 욕망의 이면에는 금고 털이들처럼 도덕적 목표라고는 전혀 찾아볼 수 없었어. 누가 그 고귀한 사업에 비용을 댔는지 나는 지금도 모른다네. 하지만 우리 주재소 지배인의 숙부가 그 부리의 인솔자였어.

외모를 보면 그는 가난한 동네의 푸주한 같았는데 눈에서는 졸음 겨운 교활함이 보였어. 그는 불룩한 배를 보란 듯이 내밀며 짧은 다리로 걸어 다녔는데 부하들이 그곳을 어지럽히는 동안 자기 조카 말고는 아무에게도 말을 걸지 않더군. 두 사람이 온종일 머리를 맞대고 무언가를 끊임없이 상의하며 이리저리 배회하는 모습이 보였어.

나는 이미 대갈못은 걱정조차 하지 않고 있었네. 인간이 그렇게 바보스러운 상황을 감내하는 능력은 자네들이 생각하는 것보다 더 한정되어 있는 법이야. 나는 '제기랄!'이라며 일이 되건 말건 상관하지 않기로 했어. 내게는 명상할 시간이 얼마든지 있었기 때문에 이따금 커츠에 대한 생각이나 해 보았지. 그에게 관심이 많았던 건 아니야. 아니고말고. 그저 모종의 도덕적 이념으로 무장하고 그곳에 나왔다는 그가 도대체 꼭대기까지 올라갈지 그리고 그런 자리로 올라가면 자기 과업에 어떤 자세로 임할지가 궁금했을 뿐이야."

2장

　　"어느 날 저녁 내가 기선 갑판에 납작 누워 있을 때 사람들의 목소리가 다가오더군. 지배인이 그의 숙부와 강둑을 따라 산책하고 있었어. 나는 다시 팔베개를 하고 누워 거의 잠이 들 뻔했는데 바로 그때 가까이에서 누군가가 내 귀에 입을 대다시피 말하는 것 같더군. '저야 어린아이만큼도 해를 끼치지 않아요. 하지만 남이 저에게 이래라저래라 하는 것은 싫답니다. 제가 지배인 아닙니까? 저는 그를 그곳으로 보내라는 명령을 받았습니다. 믿을 수가 없더군요.' 나는 두 사람이 바로 내 머리맡인 기선 앞부분의 강가에 서 있다는 것을 알게 되었어. 그래서 꼼짝하지 않았지. 도무지 꼼짝하고 싶지도 않더군. 졸음에 겨웠거든. '거참, 불쾌한 일이군.' 숙부 쪽이 불평하더군. '그가 그곳으로 보내 달라고 사무처에 요청한 거예요.' 조

카가 말했어. '자기 능력으로 할 수 있는 일을 한번 과시하자
는 생각이었지요. 그래서 제가 그런 지시를 받은 것입니다. 그
의 배후에 있는 세도가들을 생각해 보세요. 끔찍하지 않습니
까?' 두 사람은 그야말로 무서운 일이라는 데 의견을 모으고
이상한 말을 하더군. '날씨까지 좌지우지할 지경…… 한 사람
이…… 중역 회의에서…… 꼼짝 못 하고 따르게 하는……' 등
의 조리에 닿지 않는 문장의 파편들에 졸음이 달아나더군. 그
래서 정신을 거의 차렸을 때 숙부 쪽이 이렇게 말했어. '너를
위해서는 이곳 기후가 그런 어려움을 제거해 줄 수도 있겠구
나. 그 사람 혼자 그곳에 가 있느냐?' '네.' 지배인이 대답하더
군. '그가 자기 보조원에게 쪽지를 들려 강 하류로 내려보냈
는데 그 쪽지에는 "이 녀석을 이 땅에서 쫓아내십시오. 그리
고 앞으로 이런 녀석을 더 이상 올려 보내지 마십시오. 지배
인께서 제거하고 싶어 하는 사람을 내가 데리고 있으니 차라
리 혼자 지내겠습니다."라고 적혀 있더라고요. 그게 벌써 1년
이 넘었습니다. 이렇게 무례한 말을 상상이나 하실 수 있습니
까?' '그러고 나서 무슨 일이 있었느냐?' 숙부 쪽이 거친 어투
로 묻더군. '상아를 보내왔지요.' 조카가 뱉다시피 말했어. '많
은 상아가, 그것도 최고급품이 그에게서 왔답니다. 아주 귀찮
을 정도였지요.' '상아만 왔느냐?' 숙부가 무거운 어조로 묻자
조카가 '송장(送狀)이 함께 왔지요.'라고 내뱉다시피 대답하더
군. 그리고 침묵이 흘렀어. 그들은 커츠 이야기를 하고 있었던
거야.

그쯤 되자 나는 잠이 확 깼고 아주 편안하게 누워 자세를

바꿀 생각도 없이 가만히 있었어. '상아가 어떻게 이리로 운반되어 오느냐?' 나이 든 쪽이 몹시 화난 듯한 어조로 묻더군. 지배인은 커츠가 데리고 있던 영국계 혼혈인의 책임 아래 카누 선단(船團)이 상아를 싣고 온다고 설명하더군. 그리고 그 무렵 내륙 주재소에는 교역 상품이나 상아 재고가 바닥났기 때문에 커츠 자신도 중부 주재소로 돌아오려고 했음이 분명하지만 300마일쯤 내려오다 갑자기 되돌아가기로 마음먹었다는 거야. 그 혼혈인은 상아를 싣고 내려가게 하고 자신은 원주민 네 명이 노를 젓는 통나무배를 타고 홀로 되돌아갔다는 거야. 두 사람은 도대체 백인이 어떻게 그런 짓을 할 수 있는지 놀라는 것 같았어. 그들은 커츠가 되돌아간 동기를 짐작할 수 없어 어리둥절해한 거야. 나로서는 그 순간 처음으로 커츠라는 사람의 정체를 보고 있는 듯했지. 흘낏 보였으나 분명한 모습이었어. 네 원주민이 노를 젓는 통나무배를 타고 백인 한 명이 갑자기 회사 본부니 구원이니 고국 생각이니 하는 것들을 등진 채 깊은 밀림 쪽으로, 아니 그가 버리고 떠나온 그 텅 비고 황량한 주재소 쪽으로 얼굴을 돌리고 있는 모습이었어. 나도 그 동기를 알 수는 없었어. 아마도 그는 일 자체가 좋아서 일에 집착하는 멋진 녀석에 불과했을지도 몰라. 그런데 내내 그의 이름은 한 번도 언급되지 않았다는 걸 알아야 해. 그는 그저 '그 사람'이라고 지칭됐어. 내가 알기에 아주 신중하고 용기 있게 그 어려운 여행을 해낸 혼혈인은 한결같이 '그 악당'이라고 지칭됐지. '그 악당'은 '그 사람'이 중병에 걸렸다 미처 완쾌하지 못했다고 회사에 보고했다는 거야⋯⋯. 갑판 아래서 두 사람은 몇 걸음을 옮겨 가더니 약간 떨어진 데서 오락가락했어. 내 귀에는 '군사 기지에…… 의사가…… 200마일이나…… 지금은 전적으로 혼자서…… 불가피한 지연…… 아홉 달 동안…… 소식도 없이…… 이상한 소문만……'이라는 등 단편적인 말만 들리더군. 그들이 다시 기선 쪽으로 다가오고 있었는데 지배인이 이렇게 말하더군. '제가 알기로는, 떠돌이 상인이라든가 원주민들로부터 상아를 빼앗다시피 하는 그 고약한 녀석이 아니고야 아무도 밀림에 들어가지 않습니다.' 그때 그들이 이야기한 사람은 누구였을까? 단편적으로 들은 내용을 근거로 나는 그 사람이 커츠가 있는 지역에 살고 있으며 지배인이 그 사람을 좋아하지 않을 거라고 추측했을 뿐이야. '그 녀석들 중 한 놈을 본보기 삼아 교수형에 처하거나 해야지, 그러기 전에는 우리가 불공정한 경쟁에서 벗어날 수 없을 겁니다.' 그가 말했어. '아무렴.' 상대방이 불평스러운 어조로 응수하더군. '그런 녀석은 그저 교수형에 처해야지! 안 그러냐? 이 땅에서는 어떤 일을 해도 상관없으니까. 나는 그렇게 생각한다. 이곳에서는, 바로 이곳에서는, 아무도 네 위치를 위태롭게 해서는 안 된다는 것을 알아 두어라. 왜냐고? 너는 이곳 기후를 잘 견뎌 내고 있고 다른 모든 사람들보다 더 오래 버티고 있지 않느냐? 위험은 유럽 쪽에 있어. 그렇지만 내가 떠나오기 전에 그쪽도 손을 써서……' 그들이 기선에서 멀어지자 목소리가 작아지더니 다시 크게 들리기 시작하더군. '참 이상하게도 계속 지연되기만 했는데 그건 제 잘못이 아닙니다. 저는 최선을 다했어요.' 뚱뚱한 쪽에서 한숨짓듯이 '아주 딱한 일이군.'이라고 말했어. 그러자 상대방이 말을 이었어. '그런데 그 사람의 주장은 고약하고 이치에 맞지 않았어요. 그가 이곳에 있을 때 저를 아주 귀찮게 했다고요. 늘 한다는 소리가 "모든 주재소는 보다 나은 것들을 향해 나아가는 길목을 횃불처럼 비춰야 한다. 물론 교역 중심지가 되어야 하지만 원주민을 인간화하고 개선하고 교화하는 곳도 되어야 한다." 라는 것이었습니다. 생각 좀 해 보세요. 바보 같은 자식! 그러고도 그는 지배인이 되고 싶어 한다고요! 아니, 그건……' 여기서 그는 복받치는 분통을 이기지 못해 숨이 막히는 듯했어. 그래서 내가 머리를 아주 조금 들어 보았지. 그들이 하도 가까이 있어서 놀라지 않을 수 없더군. 바로 기선 아래에 와 있었거든. 원한다면 그들의 모자에 침이라도 뱉을 수 있을 거리였어. 그들이 생각에 잠긴 채 땅을 내려다보고 있더군. 지배인이 가는 나뭇가지로 자기 다리를 톡톡 때리고 있었고, 명민한 그의 숙부가 머리를 쳐들더니 '이번에 이곳에 나온 후에도 너는 사뭇 건강했지?'라고 묻더군. 상대방은 깜짝 놀라는 듯하더니 이렇게 대답했어. '누구 말씀입니까? 저요? 아! 기적적이지요. 참으로 기적적이랍니다. 그렇지만 다른 사람들은…… 아, 말씀도 마세요! 모두 병이 났어요. 너무 빨리 죽어 이 고장에서 후송할 시간조차 없을 지경이었습니다. 상상도 하실 수 없을 거예요.' '흠, 그렇군.' 숙부 쪽이 말하더군. '아! 그렇다면 얘야, 이걸 믿어라. 이걸 믿으란 말이다.' 이렇게 말하면서 그가 짧은 지느러미발처럼 생긴 팔을 펴고 숲이며 샛강, 진흙, 강 따위를 모두 끌어안을 듯한 몸짓을 했네. 그것은 마치 햇빛 비치는 대

지의 얼굴 앞에서 불경스럽게 팔을 저어 밀림 속에 도사리고
있는 죽음이라든가 숨어 있는 악령이라든가 그 핵심에 들어
있는 심오한 암흑을 향해 배반적인 호소를 하는 듯한 몸짓이
었어. 나는 그 몸짓에 너무 놀란 나머지 벌떡 일어나 그 엉큼
하게 표명된 내밀한 충고에 숲이 모종의 반응을 보이기를 기
대하듯이 그 가장자리를 돌아다보기까지 했지. 자네들도 알
다시피 사람들은 이따금 바보 같은 생각을 하지 않는가. 밀림
의 그 고매한 정적은 기상천외한 침입이 종식되기를 기다리면
서 불길한 참을성을 발휘하며 이 두 사람과 맞서고 있었어.

　그들이 큰 소리로 불경스러운 욕을 했는데 순전히 놀란 탓
이었을 거야. 그러더니 내가 근처에 있다는 것을 모르는 척하
며 주재소 쪽으로 가 버렸어. 어느새 해는 나직이 떨어져 있었
어. 그래서 그들은 나란히 서서 몸을 숙인 채 언덕을 올라가
며 서로 길이가 다른 자기네의 우스꽝스러운 그림자를 힘들게
끌고 있었지. 두 그림자는 그들 뒤에서 기다랗게 자란 풀 위로
천천히 끌려갔지만 풀잎 하나 눕히지 못했어.

　며칠 후에 엘도라도 탐험대가 그 참을성 있는 밀림 속으로
들어가자 마치 바닷물이 그 속에 뛰어든 사람을 삼키듯 밀림
이 탐험대를 삼켜 버리더군. 오랜 시간이 흐른 후 당나귀가 다
죽었다는 소식이 들렸어. 당나귀만도 못한 탐험대원들의 운
명에 대해서는 지금까지 모르는데. 그곳에 남아 있던 우리처
럼 그들 또한 분명 자기네에게 합당한 운명을 맞았을 테지. 나
는 알아보려고 하지도 않았어. 당시 나는 머지않아 커츠를 만
나리라는 생각에 꽤 흥분하고 있었거든. 방금 '머지않아'라고

말했지만 나는 그 말을 상대적인 의미로 썼을 뿐이야. 우리는 그 샛강을 떠나고 두 달이 지나서야 커츠가 있던 주재소 아래쪽의 강둑에 도달할 수 있었으니까.

그 강의 상류로 올라가는 일은 마치 이 세상이 처음 시작된 시대로 되돌아가는 것 같더군. 그 옛날에는 이 지상에 초목이 어지럽게 자라고 키 큰 나무가 왕처럼 행세하고 있지 않았겠나. 하나의 텅 빈 강, 엄청난 정적 그리고 침투하기 어려운 숲 따위가 바로 그런 느낌을 주었어. 공기는 덥고 진하며 무겁게 맥이 빠져 있었고 햇빛은 눈부셨지만 그 속에서 아무 즐거움도 찾을 수 없었지. 사람들의 왕래를 볼 수 없던 그 긴 수로(水路)는 밀림으로 덮인 머나먼 오지(奧地)의 어둠 속으로 뻗어 있었어. 은빛 모래톱 위에서 하마와 악어 들이 나란히 햇볕을 쬐고 있었고, 강이 넓어지면서 숲이 우거진 여러 섬 사이로 흐르고 있었으므로 마치 사막에서처럼 그 강에서도 길을 잃을 지경이었지. 하루 종일 뱃길을 찾으려 애쓰면서 얕은 모랫바닥에 부딪치곤 하다가 결국 우리는 한때 우리가 살던 머나먼 곳에서 알고 있던 모든 것에서 단절된 채 별천지에서 마력에 사로잡힌 듯한 느낌이 들곤 했어. 짬이 전혀 없다고 여겨지는 순간에도 이따금 과거가 떠오르지 않는가. 꼭 그렇게 과거를 돌아보게 되는 순간들이 있었어. 과거는 식물과 물과 정적으로 구성된 그 기이한 세계라는 압도석 실제 사이에서 경이롭게 기억된 불안하고 소란한 꿈의 형태로 찾아왔어. 그 생명체의 정적(靜寂)은 평화로움과는 조금도 닮은 데가 없었지. 오히려 그것은 어떤 헤아리기 어려운 의도를 감싸고 있는 달

랠 수 없는 힘이 지닌 정적이었어. 그 정적이 마치 복수라도 할 듯한 표정으로 우리를 바라보았지. 후에 나는 그 정적에 익숙해졌고 그걸 더 이상 볼 수 없었고 볼 시간도 없었어. 나는 계속 어림짐작으로 뱃길을 찾아내야 했고 대체로 영감에 의지해 물속에 숨어 있던 모래톱의 징후를 분간해 내는 수밖에 없었어. 나는 물속에 가라앉은 암초도 조심해야 했어. 고약한 장애물이 깡통처럼 연약한 선복(船腹)을 찢어 배를 침몰시키고 그 위에 탄 모든 백인이 익사할 수도 있는 위기를 요행히 모면할 때마다 나는 가슴이 덜컥 내려앉는 것을 이겨 내기 위해 이를 악무는 법을 익혔지. 나는 또 혹시 고사한 나무가 보이는지 줄곧 살펴야 했어. 밤에 상륙해 그 나무를 잘라 두어야만 이튿날 그걸 태워 증기 기관을 움직일 수 있기 때문이었어. 그런 것들과 단순히 표면적인 일들만 신경 쓰다 보면 표면 뒤의 실체, 바로 그 실체는 사라지고 말지. 내면의 진실은 감추어져 있는데, 그건 다행이지, 다행이야. 그러나 그것이 숨겨져 있음에도 나는 그것을 사뭇 느낄 수 있었어. 그 신비로운 정적이 내가 하는 보잘것없는 짓거리를 지켜보고 있다는 것을 나는 자주 느낄 수 있었거든. 마치 자네들이 한 번 뒹구는 데 반 크라운[21]씩 보수를 받고 각기 제 나름의 줄타기 재주를 부리는 광경을 지켜보듯이 말이네……."

"말 조심하게나, 말로."라고 누군가가 투덜댔기 때문에 나

---

21) 1971년에 영국이 10진법 화폐 개혁을 하기까지는 1파운드가 20실링이었고 1실링은 12페니였다. 4분의 1파운드, 즉 5실링짜리 크라운 주화와 2실링 6페니짜리 반 크라운 주화가 통용되었다.

는 나 말고 적어도 한 사람은 말로의 이야기를 듣고 있다는 것을 알 수 있었다.

"미안하네. 내가 그 대가(代價)의 나머지 부분인 마음의 고통을 그만 잊었군. 그런데 그 재주 부리기를 잘만 해낸다면 보수야 무슨 문제겠는가? 자네들은 자네들의 재주 부리기를 잘 해내고 있지. 나 또한 내 몫의 재주 부리기를 잘 못 해냈다고는 할 수 없어. 왜냐하면 내가 그 첫 운항에서 기선을 침몰시키지는 않았으니까. 지금 생각해도 그건 기적이었어. 눈을 가린 사람이 험한 길에서 화물 마차를 몰고 있었다고 생각해 보게. 나는 그 일을 해내느라 어지간히 땀 흘리고 떨기도 했어. 자네들도 알지 않는가. 책임지고 늘 물에 떠 있게 해야 할 배가 장애물에 부딪쳐 밑바닥이 상한다면 그건 선원에게 용서받기 어려운 죄라네. 아무도 모르겠지만 그 소리를 한번 들은 사람은 영영 그걸 잊을 수 없지. 그 쿵 하고 부딪치는 소리 말이야. 그건 마치 심장을 후려치는 소리처럼 들리거든. 여러 해가 지나도 그 소리는 생각나고 꿈에도 나타나고 해서 밤에 자다가도 일어나 다시 그 소리를 생각하면 온몸이 뜨거워졌다 식었다 하지. 내 기선이 사뭇 물에만 떠 있었다고 말하지는 않겠어. 스무 명이나 되는 식인종 원주민들이 풍덩거리면서 배를 밀어 모래톱을 건넌 적도 여러 번 있었으니까. 우리는 도중에 그 녀석들을 선원으로 고용했던 셈이야. 출신은 식인종이지만 멋진 녀석들이었어. 맡은 일을 제대로 해냈으니까. 그들은 우리가 함께 일해도 좋을 만한 사람들이었고, 그래서 나는 지금까지 그들에게 고맙게 여긴다네. 어쨌든 내가 보는 앞에서는 그들이 서로 잡아먹지 않았거든. 그들은 썩은 하마 고기를 식량이랍시고 가져왔는데 그로 인해 밀림의 수수께끼가 내 코를 찔렀어. 후우! 지금도 그 냄새가 나는 듯하다니까. 기선에는 지배인과 막대기를 든 백인도 서너 명 타고 있어서 선원은 갖출 만큼 갖추고 있었던 셈이야. 이따금 우리는 강둑 가까이 있는 주재소를 지나곤 했는데 그 주재소들은 미지의 세계를 감싸고 있는 옷자락에 매달려 있는 듯했어. 그때마다 허물어져 가는 오두막에서 백인들이 뛰어나와 온통 기쁨과 놀라움과 반가움의 몸짓을 해 보이더군. 그들은 참으로 기이한 모습이었고 마술에 걸려 꼼짝 못 하는 듯했어. 매번 '상아'라는 낱말이 한동안 허공에 울리곤 했지. 그러고 나서 우리는 다시 침묵의 세계로 들어가 텅 빈 강기슭을 따라가거나 고요한 만곡부(彎曲部)를 돌아 꾸불꾸불한 수로 양쪽의 높은 밀림 벽 사이로 항행했는데 선미의 동력륜(動力輪)에서 무겁게 고동치는 소리가 쿵쿵쿵쿵 텅 빈 소리를 울리고 있었어. 어디서나 수목이 울창하더군. 수백만 그루의 우람하고 거대한 수목이 높이 치솟아 있었어. 밀림 기슭에서 그 더러운 소형 기선은 강물에 떠밀리지 않으려는 듯이 강둑을 끌어안고 있었는데 마치 느림보 딱정벌레가 높다란 주랑(柱廊) 바닥을 기어가는 듯한 광경이었을 거야. 거기서 우리는 인간이야말로 보잘것없고 방향을 상실한 존재라고 느끼지 않을 수 없었지만 그런 느낌이 반드시 우리를 우울하게 하지는 않았어. 우리가 보잘것없는 존재이건 아니건 어쨌든 더러운 딱정벌레 같은 기선은 기어가고 있었고 우리가 그 기선에 바라는 것도 그것뿐이었지. 당시 백인들은 그 기선이 어디를 향해 기어간다고 여겼는지 나는 지금도 모르네. 그들은 자기네가 무언가를 획득할 수 있길 바라는 곳으로 가고 있다고 생각했겠지. 그러나 나에게 그 배는 오직 커츠를 향해 기어가고 있을 뿐이었어. 그러나 증기 파이프가 새기 시작하자 배의 속도가 크게 떨어지더군. 잇달아 새로운 강기슭 풍경이 우리 앞에 펼쳐졌다가 이내 등 뒤로 사라지곤 했지. 그건 마치 밀림이 천천히 강을 건너 우리가 돌아갈 길을 막고 있는 듯한 풍경이었어. 우리는 암흑의 핵심으로 점점 더 깊이 침투해 들어가고 있었어. 그곳은 참으로 조용하더군. 밤이면 이따금 커튼처럼 둘러선 밀림 뒤쪽에서 북소리가 강으로 울려와 첫새벽이 될 때까지 마치 우리 머리 위를 선회하듯이 허공에 희미하게 걸려 있었어. 그 북소리가 의미하는 것이 전쟁인지 평화인지 아니면 기도인지 우리로서는 짐작도 할 수 없었지. 대지에 내려앉는 싸늘한 정적이 새벽이 다가옴을 알려 주었어. 나무꾼들은 잠이 들었고 그들이 지펴 놓은 불이 나직이 타고 있는데 불붙은 나뭇가지가 탁탁 튀는 소리에 우리는 놀라곤 했어. 우리는 선사 시대의 대지, 그것도 미지의 유성 같은 모습을 하고 있는 대지 위를 방황하는 듯한 느낌이었어. 우리는 깊은 고뇌와 과도한 고통을 대가로 치른 후에야 손에 넣을 수 있는 모종의 저주받은 유산을 소유하고 있는 최초의 인간이 된 기분이었어. 그러나 배가 강의 한 만곡부를 허덕거리며 돌 때면 별안간 우리는 미동도 하지 않는 무거운 나뭇잎 장막 아래에서 골풀 담장, 뾰족한 초가지붕, 터져 나오는 함성, 검은 팔다리의 소용돌이, 집단적 손뼉 소

리, 발 구르는 소리, 흔들리는 몸통, 굴리는 눈알 따위와 마주
치곤 했지. 이 검은색의 영문 모를 광기의 가장자리에서 기선
은 느린 속도로 끙끙대며 기어갔어. 그 선사 시대의 인간들이
우리를 저주하는 건지 환영하는 건지 아니면 우리에게 기도
하는 건지 우리가 어떻게 알 수 있었겠나. 우리는 주위로부터
차단된 채 그쪽에서 일어나는 일을 전혀 이해하지 못했으니
까. 마치 정신 병원에서 수용자들이 벌이는 신들린 듯한 소요
를 지켜보는 성한 사람들처럼 우리는 영문을 몰라 내심 겁을
먹은 채 유령처럼 미끄러지듯이 그곳을 지나갔어. 우리가 그
것을 이해할 수 없었던 것은 그들의 세계가 우리와는 시간적
으로 너무 멀어 우리가 기억할 수 없었기 때문이고 우리가 태
초의 밤, 아무런 흔적이나 기억도 남기지 않고 사라져 버린 시
대의 그 캄캄한 세계를 여행하고 있었기 때문이야.

　대지가 이 세상 땅처럼 보이지 않았어. 우리는 정복당한 괴
물이 족쇄를 차고 있는 광경을 바라보는 데만 익숙했거든. 그
러다가 거기서 괴물이 자유를 누리는 것을 보게 되었던 거야.
그건 이 세상 풍경이 아니었는데 그 사람들을…… 그래, 그들
을 인간답지 않다고 할 순 없었어. 내게 가장 괴로웠던 건 그
들 또한 비인간적이지 않다고 여겨졌다는 거야. 그런 생각은
서서히 떠오르는 법이지. 그들은 소리지르며 깡충깡충 뛰거나
제자리에서 빙빙 돌면서 무시무시한 표정을 지었어. 그러나
그 광경을 바라보던 우리를 몸서리치게 한 것은 그들 또한 우
리처럼 인간이라는 생각 그리고 그 야성적이고 열정적인 소동
이 우리와 먼 친족 관계일지도 모른다는 생각이었어. 그건 흉

측한 생각이지. 아무렴, 흉측한 생각이야. 하지만 우리가 참으로 용기 있다면 그 무섭게 솔직한 소동에 우리가 마음속으로 희미하게나마 맞장구치려 한다든가, 우리가 태초의 밤에서 너무 멀리 떨어져 살기는 하되 그 소동의 의미를 이해할 수도 있지 않을까 하는 생각이 희미하게 든다는 것을 인정하지 않을 수 없을 거야. 그걸 인정하지 않을 이유는 없어. 인간의 마음은 무엇이든 생각할 수 있는 법이야. 왜냐하면 모든 미래는 말할 것도 없고 모든 과거까지 그 속에 모조리 들어 있기 때문이지. 도대체 무엇이 있었을까? 기쁨인지 두려움인지 슬픔인지 헌신인지 용기인지 분노인지 어떻게 알 수 있겠어? 하지만 진실, 시간이라는 이름의 겉옷을 벗어 버린 진실이 들어 있지. 바보들이야 입을 벌리고 벌벌 떨겠지만 제대로 된 인간이라면 진실을 알고도 눈 하나 깜박하지 않고 바라볼 수 있을 거야. 그러나 적어도 그는 강기슭에 사는 그 원주민들에 못지않게 인간적인 자질을 갖추고 있어야 할 거야. 그는 자신의 참된 자질로, 다시 말해 자신의 타고난 힘으로 그 진실을 대면해야 해. 원칙만으로는 안 돼. 원칙이란 후천적으로 얻을 수 있는 것으로, 몸에 걸친 옷이라든가 예쁜 천 같은 것 아니겠는가. 몸을 세차게 흔들기만 해도 그 천은 떨어져 나가지. 그래서 그런 것으로는 안 되고 사려 깊은 믿음이 필요해. 악마가 벌이는 듯한 그 소동 속에서 내가 일종의 호소력을 느꼈느냐고? 그렇다네. 호소를 들었지. 그러나 나에게도 목소리는 있었고 좋든 나쁘든 내 목소리는 결코 묵살될 수 없는 언변이지. 물론 바보는 그저 겁이나 먹고 있기 때문에, 또 더러는 감정이 까다롭기 때문에 늘 안전할 수 있어. 방금 투덜댄 사람이 누군가? 기슭에 상륙해 원주민들과 함께 소리를 지르며 춤출 것이지 내가 왜 그러지 않았는지 궁금하단 말인가? 그래. 물론 나는 기슭에 올라가진 않았어. 그게 바로 까다로운 감정 아니냐고? 까다로운 감정이라니, 맙소사! 내겐 시간이 없었던 거야. 물이 새는 증기 파이프에 백연(白鉛)을 바르고 모포 조각을 감느라 바빴거든. 그뿐 아니라 조타수 노릇을 하며 장애물을 피하는 등 모든 수단을 써서 그 깡통 같은 배가 계속 움직이게 해야 했어. 그 모든 일에 들어 있는 표면적 진실은 나보다 슬기로운 사람들까지 구원받고 싶게 했을 것이네. 나는 또 화부 노릇을 하던 한 원주민을 짬짬이 돌봐 주어야 했어. 그는 개명된 원주민의 본보기로서 수직형 보일러에 불을 때는 법도 알았지. 그는 내 발아래서 일했는데, 정말 그의 모습을 바라보면 한 마리의 개가 바지 비슷한 옷을 입고 깃털로 장식된 모자를 쓴 채 뒷다리로 걷는 꼴을 바라보는 만큼이나 흐뭇했다고 할까. 실로 그 멋진 녀석에게는 몇 달 동안의 훈련이 효과가 있었던 거야. 그는 분명히 엄청난 노력을 기울이며 증기 계량기와 급수 계량기를 흘겨보곤 했어. 게다가 그 가엾은 녀석은 어느새 야만성까지 상실해 버렸지. 그는 면도칼로 머리카락을 밀어 머리에 기이한 무늬를 만들기도 했고 양쪽 뺨에는 장식용 상흔(傷痕)이 세 개씩 있었어. 그 역시 강둑에 서서 손뼉을 치거나 발을 구르고 있어야 했겠지만 그런 야만적인 행위 대신 신기한 마술에 사로잡히고 개량적인 지식을 잔뜩 익힌 채 열심히 일하고 있었던 거야. 그는 교육받았기에 쓸모가 있었어. 그가 아는 것은 그 투명한 계량기에서 물이 사라지는 날이면 보일러 속의 악령이 엄청난 목마름 때문에 화가 난 나머지 무서운 복수를 할 거라는 것 정도였지. 그래서 그는 땀을 흘리며 불을 때고 겁먹은 표정으로 유리 계량기를 지켜보았어. 그의 팔에는 임시변통해 만든 천 조각 부적이 묶여 있고 아랫입술에는 회중시계 크기의 갈고 닦은 뼛조각이 편평하게 꽂혀 있었어. 그사이에 숲이 우거진 강둑은 천천히 우리 옆으로 미끄러지듯 지나갔고 짤막한 소음도 우리 등뒤로 사라졌어. 이어 여러 마일에 걸쳐 끝없이 계속되는 정적 속에서 우리 기선은 커츠를 향해 기어가고 있었어. 하지만 강물 속에는 굵은 장애물들이 있었고 겉보기와 달리 물이 얕고 보일러도 실제로 성미 고약한 악령을 가두고 있는 것 같았지. 그래서 그 검둥이 화부와 나는 무시무시한 생각에 시달리면서도 곰곰이 그런 생각에 잠길 시간이 없었어.

내륙 주재소에서 하류 쪽으로 50마일쯤 떨어진 곳에서 우리는 갈대 오두막을 한 채 보았어. 비스듬히 서 있는 음침한 깃대에는 한때 거기서 나부꼈을 모종의 깃발이 지금은 무슨 깃발인지조차 분간할 수 없을 정도로 누더기가 된 채 매달려 있더군. 그리고 깔끔하게 쌓아 둔 장작더미도 보였어. 뜻밖이었지. 강둑으로 가니 장작더미 위에 놓인 널빤지 조각에 연필로 회미하게 뭐라고 씨 놓은 것이 보이더군. 그것을 뜯어 읽어 보니 '장작은 당신네를 위한 것이오. 서두르시오. 조심해서 접근하시오.'라고 적혀 있었어. 서명도 있었지만 읽을 수 없더군. 커츠가 아닌 것은 분명했고 더 긴 이름이었어. '서두르시오.'라니. 어디로 가란 말인가? 강 상류로 가란 뜻인가? '조심해서 접근하시오.'라니. 우리는 조심하지 않고 접근했던 셈인데. 하지만 우리처럼 아무것도 모르고 일단 접근한 후에야 그런 경고를 읽는다면 그게 무슨 소용이겠는가. 그러니 이미 지나온 곳을 조심하라고 경고판을 설치했을 리는 만무했지. 강 상류 지역에서 무슨 일인가가 잘못되어 가고 있음이 분명했어. 대체 무슨 일이 있고 얼마나 잘못되었을까? 그게 궁금하더군. 우리는 전보문(電報文)처럼 간략한 문체로 사연을 남기다니 얼마나 바보스러운 짓이냐며 악담을 했지. 주변의 숲은 아무 말이 없었고 우리가 멀리 내다보는 것조차 허락하지 않더군. 그 오두막 문간에는 붉은색의 찢어진 능직(綾織) 커튼이 걸려 우리 얼굴 앞에서 을씨년스럽게 펄럭였어. 그 집에서 가구들은 없어졌으나 얼마 전까지도 백인이 거주한 흔적은 보이더군. 조잡하게 만든 탁자가 남아 있었는데 말이 탁자지 두 기둥에 얹어 놓은 널빤지에 불과했어. 어두운 한쪽 구석에는 쓰레기 더미가 있고 문 옆에는 책이 한 권 있기에 집어 들었지. 그 책은 표지가 없어졌고 손때가 묻은 책장은 아주 지저분하고 누글누글했어. 그러나 책등은 아직 새것으로 보이는 하얀 면사(綿絲)로 새로 정성스럽게 기워져 있더군. 그건 참으로 뜻밖의 발견물이었어. 제목은『몇 가지 선원 수칙 탐구』였는데 저자는 타우저 아니면 타우슨 비슷한 이름이고 영국 해군의 항해 담당 사관이었어. 책은 예시 도표라든가 보기도 싫은 수치 표가 실린 따분한 읽을거리로 보였고 60년 전에 나온 것이더군. 나는 혹시 그 놀라운 골동품이 내 손에서 부서져 버릴까 조심스러워서 되도록 부드러운 손길로 만져야 했어. 내용을 살펴보니 타우슨인가 타우저인가 하는 저자는 닻줄과 활차(滑車)가 당기는 힘을 견딜 수 있는 한계점이라든가 하는 것들을 열심히 탐구하고 있었어. 그리 흥미로운 책은 아니더군. 그러나 얼핏 보기에도 저자가 가진 단 하나의 의도는 읽을 수 있었어. 그건 선원들이 성실하게 맡은 일에 임하는 방식에 대한 올바른 관심이었는데, 오래전에 심사숙고해서 쓴 내용이 책장을 가득 채우면서 단순한 전문 지식 이상의 소중한 빛을 훤하게 발하고 있더군. 그 순박한 옛 선원이 거론한 닻줄이니 활차의 증력(增力)이니 하는 것을 읽으면서 나는 마치 어김없이 현실감을 주는 어떤 것과 마주친 듯한 달콤한 감정에 사로잡힌 나머지 그만 밀림이니 백인들이니 하는 것들은 잊어버리고 말았어. 그런 책이 그곳에 있는 것만도 충분히 놀랄 만했거든. 그런데 그보다 더 놀라운 것은 여백에 연필로 써 놓은 메모였는데 책의 내용과 관계있는 것임이 분명하더군. 나는 내 눈을 믿을 수 없을 지경이었어. 그 메모가 암호로 되어 있었던 거야. 정녕 암호처럼 보이는 메모였어. 상상해 보게. 한 사내가 그런 책을 이 대륙의 후미진 곳까지 가져와 열심히 공부했는데 여백에 메모를 하며 암호를 썼다고 상상해 보란 말이네. 그게 내게는 감당하기 어려운 수수께끼였네.

얼마 동안 귀에 거슬리는 소음이 희미하게 들리기에 눈을 치켜뜨니 그사이에 장작더미가 사라지고 없더군. 강변에서 지배인이 모든 백인들과 목소리를 모아 내 쪽으로 고함을 지르고 있었어. 나는 그 책을 주머니에 집어넣었지. 사실 읽던 것을 중단하면 마치 단단한 옛 우정의 안식처에서 떨어져 나오는 듯한 느낌이 들거든.

나는 변변찮은 엔진에 시동을 걸고 앞으로 나아갔네. '이곳에 침투해 와서 장사를 하는 그 못된 녀석이 저곳에 살았을 거야.' 지배인이 악의 찬 눈으로 우리가 떠나온 곳을 돌아보며 소리치더군. '그 사람은 영국인일 겁니다.' 내가 말했지. 그러자 지배인이 음흉한 목소리로 투덜대더군. '영국인이라도 조심하지 않으면 고통을 면할 수 없을 거요.' 나는 아무것도 모르는 양 시치미를 떼고 이 세상에서는 아무도 고통으로부터 안전할 수 없는 법[22]이라고 말했어.

물살이 빨라지자 기선이 마지막 숨을 쉬듯 헐떡이더군. 고물 쪽 동력륜은 맥없이 철럭였고, 사실 그놈의 것이 어느 순간에 멎어 버릴지 알 수 없어 숨을 죽이고 동력륜의 날개가 물을 차는 소리를 매번 아슬아슬하게 듣고 있었어. 그건 마치 사람의 목숨이 막 꺼지려는 촛불처럼 깜박이는 것을 지켜보는 것 같았어. 그러나 우리 배는 여전히 기어가고 있었지. 이따금 나는 얼마쯤 떨어진 전방에 서 있는 나무를 하나 정해 놓고 그 나무까지의 거리를 기준으로 커츠를 향한 우리의 전진을 가늠해 보려 했어. 그러나 나는 그 나무와 나란히 서기 전에 어김없이 그 나무를 놓쳐 버리곤 했지. 한 가지 물체만 오랫동안 지켜보는 것이 인간에게는 견디기 어려운 일이거든. 지배인은 기막히게 잘 체념하곤 했지만, 나는 참지 못하고 초

---

22) 「욥기」 14장 1절.

조히 굴며 이러다가는 도대체 내가 커츠를 만나 터놓고 이야기할 날이 오겠느냐고 나 자신에게 열심히 추궁하고 있었어. 그러나 내가 미처 어떤 결론을 내리기도 전에 나의 말이나 침묵, 특히 내가 취하는 행동 같은 것들이 결국 부질없어질 거라는 생각이 들더군. 우리가 알거나 알지 못한 채 무시해 버리는 것들이 사실 무슨 문제가 됐겠나? 누가 지배인이든 그게 무슨 문제가 됐겠어? 이따금 우리는 번뜩이는 섬광 같은 통찰도 하지. 그러나 그 일의 본질은 표면 아래 깊숙이 가려져 있어서 내 힘이 미치는 한계나 내가 간섭할 수 있는 범위를 넘어서 있었어.

이튿날 저녁 무렵 우리는 커츠의 주재소에서 8마일쯤 떨어진 곳에 이르렀다고 판단했네. 나는 계속 밀고 나가고 싶었지만, 지배인이 침통한 표정으로 그 일대는 운항하기가 너무 위험한 데다 이미 날도 저물었으니 이튿날 아침까지 기다리는 편이 좋겠다고 말하더군. 더욱이 그는 조심해서 접근하라는 경고를 따르려면 해 질 무렵이나 밤이 아니라 대낮에 접근해야 한다는 지적을 하더군. 그건 이치에 닿는 말이었어. 8마일이면 우리 배로 거의 세 시간 걸리는 거리였고 앞을 내다보니 상류 쪽 강기슭 끝부분에 수상쩍은 물결이 이는 것도 보이더군. 그럼에도 나는 그렇게 지체되자 형언할 수 없을 만큼 속이 상했어. 이미 여러 달이나 지체됐으니 하룻밤 더 지체된들 아무 문제 아니었을 텐데 내가 그처럼 속상해한 것은 정말 이치에 닿지 않는다고 해야겠지. 우리에게는 연료용 장작이 많이 남아 있었고 조심하는 것이 상책이었으므로 나는 강 가운데에 배를 정박했어. 그곳에서는 좁은 강이 곧게 흐르고 있었는데 높다란 양쪽 측면은 마치 철도를 부설하려고 절개(切開)해 놓은 땅처럼 보이더군. 그래서 해가 지려면 아직 멀었는데도 그곳에는 어둠이 스며들기 시작했어. 강물은 미끄러지듯 빨리 흘렀지만 양쪽 강둑은 쥐 죽은 듯이 미동도 하지 않더군. 살아 있는 나무들은 덩굴과 관목 덤불로 인해 서로 엉긴 채 잔가지와 아주 작은 잎까지 암석으로 변해 버린 것처럼 보이더군. 잠든 것은 아니었고 몽환 상태에 있는 것처럼 부자연스러웠어. 어떤 종류의 희미한 소리조차 들리지 않아 우리는 그저 놀란 눈으로 바라볼 뿐이었고 혹시 귀를 먹은 것이 아닐까 싶기까지 했어. 그러자 갑자기 밤이 닥쳐와 우리의 눈마저 멀게 하더군. 새벽 세 시경에 큼직한 물고기가 뛰어올라 풍덩 소리를 내자 나는 마치 대포 소리라도 들은 것처럼 놀라서 펄쩍 뛰었지. 해가 뜨자 아주 덥고 끈적거리는 안개가 하얗게 깔리더니 한밤중보다 더 눈을 멀게 하더군. 안개는 움직이거나 몰려다니지 않고 마치 견고한 물질처럼 우리 주위에서 버티고 있었어. 여덟 시나 아홉 시경이 되었을까, 마치 덧창이 올라가듯 안개가 걷히기 시작하더군. 우리는 수많은 나무가 하늘로 치솟고 빽빽이 깔려 있는 광활한 밀림 위에서 작은 공처럼 생긴 해가 이글거리는 광경을 잠시 볼 수 있었는데 만물이 죽은 듯이 고요했어. 그때 또다시 하얀 덧창 같은 안개가 마치 기름 친 홈통을 따라 미끄러지듯이 조용히 내려앉았어. 그래서 나는 거둬들이고 있던 닻줄을 다시 내리라고 명했지. 닻줄이 덜컥덜컥 둔탁한 소리를 내며 모두 풀리기도 전에 한없이 황량한 외마디 비명이, 그것도 아주 높은 비명이 그 불투명한 허공으로 천천히 솟구치더군. 그 비명이 그치고 야만적 불협화음으로 변조(變調)된 불만의 목소리들이 시끄럽게 우리 귀를 가득 채웠어. 난데없이 들려온 소리에 내 모자 속의 머리카락이 곤두서더군. 다른 사람들에게 그 소리가 어떻게 들렸는지 모르겠으나, 내게는 사방의 안개가 너무 갑자기 한꺼번에 외마디 비명을 지른 결과 그렇게 요란하고 불만에 찬 소동이 일어난 것 같았어. 그 소동은 거의 견디기 어려울 정도로 과격한 절규가 황급히 폭발하며 절정에 이르더군. 그 절규가 뚝 끊어지자 우리는 여러 가지 바보스러운 자세로 얼어붙은 듯이 동작을 멈춘 채 거의 그 절규만큼이나 무시무시한 정적 앞에서 집요하게 귀를 기울였어. '맙소사! 이게 어쩌자는 소릴까?' 내 곁에 있던 백인 한 사람이 말을 더듬더군. 모래색 머리카락과 붉은 수염에 약간 뚱뚱하던 그는 탄력 좋은 고무 구두를 신고 분홍색 파자마 바지를 양말에 끼워 넣고 있었지. 다른 두 백인은 놀란 나머지 오랫동안 입을 다물지 못하다가 작은 선실로 들어가더니 자제력을 잃은 듯 뛰어나오더군. 그들은 윈체스터 소총을 들고 사격 자세를 취하며 서서 겁먹은 눈초리를 사방으로 던졌어. 눈에 보이는 것은 우리가 탄 기선뿐이었는데 마치 용해 직전인 것처럼 윤곽이 흐릿했고 주변에는 폭이 2피트쯤 되어 보이는 안개 낀 강물이 보였어. 우리가 눈으로 보고 귀로 들을 수 있는 것만 가지고 생각한다면 이 세상의 나머지 부분은 없는 것이나 다름없었어. 없어지거나 사라져 버렸던 거지. 작은 속삭임이나 그림자 하나 남기지 않고 깨끗이 청소

되어 버렸던 거야.

　나는 뱃머리로 가서 닻줄을 팽팽하게 당겨 두라고 명했어. 필요하면 즉시 닻을 물 위로 끌어올려 배를 움직일 수 있게 해야 했으니까. '저들이 공격해 올까?' 누군가가 겁에 질린 목소리로 속삭이더군. '이 안개 속에서 우리 모두 도륙당하는 것 아냐?' 다른 목소리가 중얼대더군. 사람들의 얼굴은 긴장으로 경련했고 손은 가볍게 떨렸으며 눈은 깜박이지도 않았어. 백인들의 표정과 검둥이 선원들의 표정이 이루는 대조를 보니 아주 신기하더군. 검둥이들은 불과 800마일밖에 떨어지지 않은 곳에서 왔지만 이 지역에서는 우리나 마찬가지로 이방인이었던 셈이야. 백인들은 물론 마음의 동요를 크게 겪으며 그 요란한 소동에 고통스러운 충격을 받고 이상한 표정을 짓고 있었어. 반면에 검둥이들은 놀라서 관심을 보이기는 했으나 얼굴은 본질적으로 평온했고 닻줄을 끌어올리느라 이를 드러내 보이던 두어 녀석의 표정도 그랬어. 몇몇 검둥이는 불평하듯 말을 퉁명스럽게 주고받으며 그 소동의 의미를 만족스럽게 해명해 버리는 것 같더군. 그들의 우두머리였던 가슴이 벌어진 젊은 검둥이는 가장자리가 술로 장식된 검푸른 천으로 몸을 단단히 감싸고 내 옆에 서 있었는데 콧구멍이 사나워 보여도 머리카락은 기름기 도는 여러 개의 작은 고리가 되도록 교묘하게 손질되어 있었어. 그때 나는 그 녀석에게 친근하게 보이려고 '아하!'라고 해 보았어. '저 녀석들을 잡아 주세요.' 그 녀석이 핏발 선 눈을 휘둥그렇게 뜨고는 예리한 이를 번뜩이며 말하더군. '잡아 주세요. 붙잡아서 우리에게 주세요.' '너희에게?' 내가 물었지. '그들을 어떻게 하려고?' '먹으려고요!' 그가 퉁명스럽게 대답하고 나서 난간에 팔꿈치를 기댄 채 깊은 생각에 잠긴 위엄 있는 자세로 안개 속을 바라봤어. 그와 그의 동료들이 아주 배가 고플 것이며 적어도 지난한 달 동안 배가 점점 더 고파졌을 것이라는 생각이 그때 떠올랐으니 망정이지 그러지 않았더라면 그 말을 듣고 내가 기겁했을 거야. 그들은 6개월 기한으로 고용되었지만, 지금 생각해도, 오랜 세월의 역사를 기억하는 우리 백인들처럼 분명한 시간관념을 가진 사람이 그들 중에는 하나도 없었을 거야. 그들은 아직 태초의 시간을 살고 있으므로 말하자면 시간관념을 가르쳐 줄 체험을 전혀 물려받지 못했던 거야. 물론 강 하류 지역에서 그 우스꽝스러운 규정인지 뭔지에 따라 작성된 고용 계약서만 한 장 있으면 그것으로 충분했고, 이 검둥이들을 어떻게 먹여 살리느냐 하는 문제는 아무도 신경 쓰지 않던 거야. 사실 그들이 썩은 하마 고기를 얼마간 가지고 왔어. 하지만 백인들이 큰 소동 끝에 그 가운데 상당량을 빼앗아 강물에 버렸는데, 설령 그러지 않았더라도 그 식량은 어차피 오래가지 않았을 거야. 백인들의 그런 행동은 강압적 조처로 보였지만, 사실 그건 정당한 자위책이었어. 잘 때나 깨어 있을 때나 식사할 때 하마 고기가 썩는 냄새를 맡으면서 위태롭게 살아갈 수야 없지 않은가. 그뿐 아니라 회사에서는 그들에게 길이가 9인치쯤 되는 놋쇠줄을 1주일에 세 개씩 지급했는데, 이론적으로는 그들이 그 통화(通貨)를 가지고 강변의 마을에 가서 식량을 구입하도록 되어 있었어. 자네들도 짐작하겠지만 그런 이론이 통할 리 있었겠나? 강변에 마을도 없었거니와 있다고 해도 주민들이 적대적이었거든. 게다가 그들의 지도자는 우리처럼 깡통 음식에 이따금 숫염소 고기까지 곁들여 먹을 수 있는 처지인지라 어떤 이해하기 어려운 이유로 기선이 마을에 멎는 것을 원하지도 않았지. 그러니 그 검둥이들이 놋쇠줄을 삼킨다든가, 그걸로 동그란 테를 만들어 물고기라도 잡아 올리지 않고는 그 허울 좋은 급여가 그들에게 무슨 소용이었겠는가. 그런데도 회사 측에서는 대회사의 명예를 걸고 그 주급(週給)만은 규칙적으로 지급하더군. 내가 보기에 하마 고기 말고 그들이 가지고 있던 식량이랬자 칙칙한 라벤더색의 설익힌 가루 반죽 같은 것을 잎으로 싼 덩어리 몇 개가 전부였는데 그건 도대체 먹을 수 있을 것 같지도 않더군. 그들은 그걸 조금씩 떼어 삼키곤 했지만 양이 너무 적어서 연명하겠다는 진지한 목적이 있다기보다는 그저 먹는다는 기분이나 내려는 것처럼 보였어. 그들은 30대 5의 비율로 백인보다 수적으로 우세했으니 악마처럼 엄습해 오는 배고픔의 이름으로 백인들에게 덤벼들어 한바탕 잔치를 벌였을 법도 한데 왜 그러지 않았는지 지금 생각해도 놀라울 뿐이야. 그들은 체격이 크고 힘이 센 사내들로 자기네가 저지른 행동의 결과를 헤아릴 능력이 별로 없었고 비록 피부색이 윤기를 잃고 근육이 단단하지는 않았을망정 아직 용기와 힘만은 갖추고 있었거든. 그래서 나는 어떤 힘, 즉 개연성을 거역하며 작용하는 인간의 은밀한 힘 가운데 하나가 바로 그들의 행동을 제약하고 있으리라고 생각했어. 나는 재빨리 더 관심을 기울이며 그들을 바라보았지. 머지않아 그들에게 잡아먹힐지 모른다는 생각이 들었기 때문은 아니었어. 물론 당시에 나는 그 문제를 전혀 새로운 관점에서 보면서 백인들이야말로 그들에게 몹시 식상한 먹잇감으로 보였을 거라고 느끼기까지 했음을 자인하네. 그래서 나는 희망했지. 나 자신의 꼴이 그들에게, 그러니까 뭐랄까, 입맛 떨어지는 먹잇감으로 비치지 않기를 진심으로 바랐던 거야. 그건 당시 나의 삶을 휩쓸고 있던 그 꿈결 같은 느낌과 아주 잘 어울리는 일종의 환상적 허영이었지. 게다가 내게는 열도 약간 있었을 거야. 우리가 언제나 손가락으로 맥박이나 짚으며 살 수는 없는 법이잖아. 그저 빈번히 '열이 약간' 있거나 무언가 다른 일이 일어날 듯한 약간의 예감을 느끼며 살았던 거야. 그건 때가 되어 본격적으로 심각한 상황을 일으키기에 앞서 예비적으로 집적대 보는 밀림의 장난기 어린 손길로 느껴졌어. 나는 그 검둥이들이 육체적 욕망의 냉혹한 시험을 겪게 될 때 과연 어떤 충동, 어떤 능력, 어떤 약점을 보일지 호기심을 가지고 여느 인간을 바라보듯 그들을 바라보고 있었던 거야. 제약이라니! 그들에게 무슨 제약이 있었을까? 그 제약이라는 게 미신이었을까, 불쾌감이었을까, 참을성이었을까, 두려움이었을까, 그것도 아니면 모종의 원시적 자존심이었을까? 그 어떤 두려움도 배고픔을 이길 수 없고, 그 어떤 참을성도 배고픔을 닳아 없어지게 할 수 없으며, 배고픔이 있는 곳에서는 그저 불쾌하다는 이유로 먹지 못할 것은 없는 법인데. 그리고 미신이니 믿음이니 원칙이라고 부르는 것들이야 바람이 조금만 불어도 날려갈 만큼 가볍지 않은가. 질기게 지속되는 굶

주림의 마성(魔性), 우리를 격분케 하는 그 고통, 그것이 빚어 내는 엉큼한 생각들, 암울하게 우리를 짓누르는 그 포악함 등을 자네들은 알지 않나? 나는 안다네. 배고픔을 상대로 제대로 싸우자면 타고난 힘을 모두 발동해야 하는 법이야. 그렇게 오래 지속되는 배고픔과 맞서 싸우기보다는 가까운 사람들과 사별하거나 망신당하거나 영혼의 파멸을 겪는 편이 더 쉬울 걸세. 그건 슬픈 일이지만 엄연한 사실이야. 게다가 그 검둥이 녀석들에게는 도덕적으로 망설여야 할 현세적 이유가 하나도 없었어. 그런데 제약이 있었겠나. 그들에게 제약을 기대하느니 차라리 전쟁터에서 전사자들 사이를 어슬렁거리고 다니는 하이에나에게 자제력을 기대하는 것이 더 나을 걸세. 그러나 당시 나는 그 검둥이들이 배고픔에도 불구하고 자제력을 잃지 않는다는 엄연한 사실과 마주 서서 마치 깊은 바다에 생기는 물거품이나 속을 헤아리기 어려운 비밀의 표면에 이는 잔물결을 바라보듯 그 눈부신 사실을 바라보고 있었네. 내 생각에 그 사실은 아무것도 보이지 않는 하얀 안개 너머 강둑에서 우리 쪽으로 휘몰아쳐 오던 야만적 소음에 감도는 그 기이하고 영문 모를 절망적 슬픔의 어조보다 한층 더 깊은 수수께끼로 느껴지더군.

그 소동이 어느 쪽 강변에서 들려오느냐를 놓고 백인 두 사람이 조급히 속삭이는 어투로 언쟁을 벌이고 있었어. '왼쪽이야.' '아니야, 아니라고. 왜 왼쪽이라고 하지? 오른쪽이라고, 오른쪽이란 말이야.' 그때 내 등 뒤에서 지배인이 '상황이 아주 심각하군요. 우리가 도착하기 전에 커츠 씨에게 무슨 일이 일어나면 어쩌지요?'라고 하더군. 나는 그를 바라보면서 그가 진지하다는 것을 조금도 의심하지 않았어. 그는 체통을 지키고 싶어 하는 유의 사람이었어. 그 점이 그에게는 제약이 되기도 했지. 그러나 그가 당장 상류로 올라가야 한다며 뭐라고 투덜 댔을 때 나는 그에게 대답조차 하지 않았어. 나는 그게 불가 능하다는 것을 알았고 그 또한 그걸 알고 있었던 거야. 닻을 올린다면 배는 허공에 뜬 것처럼 방향을 잃게 되었을 테니까. 우리는 강의 상류로 가는지 하류로 가는지 아니면 강을 건너 가는지조차 알 수 없을 테고 그러다 결국 모래톱에 부딪치겠 지만 부딪치고도 처음에는 그것이 어느 쪽 모래톱인지도 몰 랐을 거네. 물론 나는 배를 움직이지 않았어. 충돌하고 싶지 않았으니까. 조난의 위험이 그곳보다 더 큰 곳은 상상조차 할 수 없었거든. 당장에 익사하든 그러지 않든 우리는 어떤 식으 로나 빨리 죽게 될 것이 분명했어. '나는 선장께서 모든 위험 한 조처를 취해도 좋다고 승인하겠소.' 잠시 침묵한 끝에 그 가 말하더군. 그래서 나는 '어떤 위험한 조처건 취하지 않겠습 니다.'라고 퉁명스럽게 대답했지. 그는 내 어조에 놀라긴 했겠 지만 그런 대답을 당연한 것으로 기대하고 있었어. '좋소, 당 신의 판단을 존중해야겠소. 당신이 선장이니까.' 그가 눈에 띄 게 정중한 목소리로 말하더군. 나는 그의 말을 고맙게 여긴다 는 표시로 그를 향해 어깨를 돌린 후 안개 속을 들여다보았 지. 이 안개가 도대체 얼마나 오래 끼어 있을지 생각해 보았으 나 아무 희망도 보이지 않더군. 그 형편없는 밀림 속에서 상아 를 탈취하고 있는 커츠라는 자에게 접근하는 데는 마치 환상의 성(城)에서 마법에 걸려 잠이 든 공주에게 접근하는 것만큼 위험한 일이 많았던 거야. '저들이 공격해 올 것 같소?' 지배인이 내밀한 어조로 묻더군.

나는 그들이 공격해 올 것이라고 생각하지 않았어. 그렇게 생각한 데는 몇 가지 이유가 있었지. 짙은 안개가 그 이유 중 하나였어. 만약 그들이 카누를 타고 강둑을 떠난다 해도 우리 기선이 출발할 경우나 마찬가지로 안개 속에서 길을 잃고 말았을 테니까. 그러나 나는 양쪽 강둑의 밀림이 침투하기는 어렵지만 그 속에서 사람들의 눈이 이미 우리를 보았을 것이라고 판단했어. 강변의 숲이 아주 빽빽했지만 그 이면의 덤불은 분명히 사람들이 출입할 수 있었거든. 안개가 잠시 걷혔을 때 강기슭 어디에서도 카누는 보이지 않더군. 적어도 기선과 나란히 뻗어 있는 강변에서는 카누를 보지 못했어. 그러나 내가 그들이 공격해 오지 않으리라고 생각한 것은 그 소동의 성격 때문이었어. 우리가 들은 비명의 성격이 그런 생각을 하게 했던 거야. 그 비명에는 즉각적 적대 행위를 벌일 의도를 예상하게 하는 흉포함이 들어 있지 않았거든. 난데없이 들려온 그 소리가 야성적이고 격렬하기는 했지만 나는 그게 슬픔의 표현이라는 거역할 수 없는 인상을 받았어. 기선이 나타난 것을 보고 그 야만인들은 무슨 이유에서인지 억제할 수 없는 슬픔에 사로잡혔던 거야. 만약 그곳에 위험이 있다면 그것은 거대한 인간 감정이 분출하는 곳 가까이에 가게 된 데서 겪는 위험일 거라고 나는 이해했어. 극단적인 슬픔도 궁극적으로는 격렬하게 발산될 수 있지만 일반적으로는 냉담한 형태로 나타

나는 경우가 더 흔하거든⋯⋯.

백인들이 안개 속을 응시하는 꼴을 자네들이 보았더라면 좋았을 텐데! 그들에게는 씽긋 웃어 보일 용기가 없었고 심지어 내 조처를 비난할 용기조차 없었어. 그러나 그들은 내가 아마 공포 때문에 미칠 지경일 거라고 생각했을 거야. 그래서 나는 그들에게 제대로 된 설교를 했어. '여러분, 걱정해도 소용없소. 잘 지켜보느냐고요? 물론 나는 고양이가 생쥐를 노리듯이 안개가 걷힐 징조가 있는지 지켜보고 있소. 하지만 우리가 마치 두께가 몇 마일이나 되는 솜 속에 묻혀 있듯이 다른 아무것도 눈에 보이지 않으니.' 안개가 솜처럼 느껴진다고 한 것은 그게 우리를 답답하고 덥고 질식하게 했기 때문이야. 그뿐 아니라 내가 지금까지 말한 것이 과장한 것처럼 들릴지 모르지만 실은 사실을 충실히 반영하고 있어. 훗날 우리가 공격이라고 부른 사건이 있었지만 그것도 사실은 공격이 아니었고 우리를 쫓아내려는 시도에 불과했지. 그 행위는 공격적이라고 할 수 없었고 통상적인 의미에서 방어적이었다고도 할 수 없었어. 그것은 절망감이라는 스트레스 때문에 취해진 행위였고 본질적으로 순전히 보호적 성격을 띠었으니까.

안개가 걷히고 두 시간이 지나자 우리를 쫓아내려는 시도가 전개되더군. 대충 말해서 커츠의 주재소에서 하류 쪽으로 1마일 반쯤 떨어진 지점에서 시작되었어. 우리 배가 몹시 힘들어하며 어떤 만곡부를 막 돌아섰을 때 작은 섬이 하나 보이더군. 그건 말이 섬이지 실은 강 한가운데 있는 작은 언덕에 불과했고 밝은 녹색의 풀이 우거져 있었어. 그런 종류의 언덕으로는 유일한 것이었지. 그러나 시야에 더 많은 강기슭이 보이자 나는 그게 기다란 모래톱의 첫머리이거나 강 한가운데에 뻗어 있는 일련의 얕은 지역이 시작되는 곳임을 알았어. 그곳에서는 물결에 씻겨 물빛이 퇴색해 있었고 마치 사람의 등 한가운데로 등뼈가 피부 속에 뻗어 있듯이 그 일대가 물속에서 드러나 보이더군. 내가 보기에 그곳을 피해 왼쪽으로 가든 오른쪽으로 가든 상관없을 듯했어. 물론 어느 쪽으로 항로가 나 있는지도 나로서는 알 수 없었지. 양쪽이 비슷해 보이고 수심도 같아 보였으나 주재소가 서쪽 기슭에 있다고 들었기 때문에 나는 자연히 서쪽 수로를 향해 갔어.

그 속으로 꽤 들어가자 그곳이 생각보다는 훨씬 좁다는 것을 알게 되었어. 왼쪽으로는 얕은 강물이 길게 거침없이 흐르고 있었고 오른쪽으로는 관목 숲이 빽빽이 우거진 가파른 강둑이 높이 솟아 있었어. 그 관목 숲 위로는 울창한 나무들이 서 있더군. 그 가지들은 빽빽이 강을 굽어보고 있었고 띄엄띄엄 굵은 나뭇가지가 강물 위로 꼿꼿이 뻗어 있곤 했어. 그때는 이미 오후 시간도 많이 지나서 숲의 표면은 어두웠고 넓은 띠 같은 그림자가 이미 강물 위에 내려 있더군. 자네들도 짐작하겠지만 그 그림자 속에서 우리는 상류를 향해 아주 천천히 올라가고 있었던 거야. 장대로 강의 깊이를 재어 보니 강둑 근처가 가장 깊었기 때문에 나는 기선을 강둑 쪽으로 바짝 붙이고 갔어.

배고픔을 참고 있던 녀석들 중 하나가 내가 서 있던 곳 바로 아래쪽 선미(船尾)에서 강물의 깊이를 재고 있었어. 우리 기선은 정확히 갑판이 달린 거룻배처럼 생겼는데 갑판 위에는 티크 목재로 지은 작은 집이 두 채 있고 집에는 출입문과 창문이 달려 있었지. 보일러는 선수(船首)에 있었지만 기관은 선미에 있었어. 몇 개의 버팀대가 지탱하는 가벼운 지붕이 온 갑판을 덮었고. 연돌은 지붕을 뚫고 솟아 있었고 연돌 앞에 가벼운 판자로 지은 작은 선실이 조타실(操舵室)로 쓰였어. 그 방에는 침상 한 개와 야영용 의자 두 개, 실탄이 장전된 채 한쪽 구석에 기대져 있던 마티니 헨리 소총 한 자루, 작은 탁자 하나 그리고 타륜(陀輪)이 있었지. 또 그 방에는 앞쪽으로 넓은 출입문이 있었고 양쪽으로는 폭이 넓은 덧창도 있었어. 그 모든 문은 물론 늘 열려 있었지. 나는 날마다 출입문 앞에 있는 지붕의 맨 앞부분에 자리 잡고 시간을 보냈는데 밤에는 침상에서 자거나 잠을 청하려고 애쓰곤 했어. 해안 지방의 어느 부족 출신이었던 건장한 검둥이가 내 선임 선장에게 교육받고 조타수 노릇을 하고 있었어. 그는 양쪽에 놋쇠 귀고리를 하고 허리에서 발목까지 청색 천을 두르고 있었는데 스스로 대단한 인물이라고 여기더군. 하지만 그는 내가 일찍이 본 적이 없을 정도로 아주 불안정한 바보였어. 내가 옆에 서 있을 때는 한없이 으스대며 조타했지만 내 모습이 보이지 않으면 순식간에 심한 공포에 사로잡혔고 그 낡은 기선을 통제하지 못해 쩔쩔매곤 했거든.

수심을 재는 장대를 내려다보니 강바닥을 짚을 때마다 장대가 조금씩 더 수면 위로 솟아오르고 있어 불안해지더군. 그때 장대잡이가 갑자기 수심 재기를 중단하더니 장대를 거두어들일 생각도 하지 않고 갑판에 납작이 엎드리는 모습이 보였어. 하지만 그가 장대를 붙잡고 있었기 때문에 장대가 수면 위로 끌려가더군. 그와 동시에 내 아래쪽에 보이던 화부가 갑자기 보일러 앞에서 주저앉더니 머리를 숙이는 거야. 그 광경을 보고 나는 놀라지 않을 수 없었어. 바로 그때 우리의 뱃길 앞쪽에 장애물이 있었기 때문에 나는 날쌔게 강을 살펴야 했어. 내 주위에서 막대기들이, 작은 막대기들이 무수히 날고 있더군. 막대기는 내 코 앞을 휘익 지나가고 발아래로 떨어지는가 하면 등 위의 조타실을 때리기도 했어. 이런 일이 벌어지는 동안 강과 기슭과 숲은 아주 조용했어. 죽은 듯이 조용하더군. 나는 선미에서 동력륜이 무겁게 물을 차는 소리와 날아드는 막대기들이 툭툭 떨어지는 소리만 들을 수 있었어. 그 장애물은 어렵게 피했지. 그런데 맙소사, 날아드는 것들이 화살이더군. 우리가 화살 공격의 목표물이 되고 있었던 거야. 나는 날쌔게 선실로 들어가서 육지 쪽의 덧창을 닫았어. 그 바보 조타수는 두 손으로 타륜(舵輪) 손잡이를 잡고는 마치 고삐를 맨 말처럼 무릎을 높이 쳐들고 발을 구르면서 입으로 우두둑우두둑 소리를 내고 있는 거야. 망할 녀석! 우리 배는 둑에서 10피트밖에 떨어지지 않은 곳에서 힘들게 상류로 올라가고 있었거든. 내가 그 무거운 덧창을 끌어다 닫기 위해 밖으로 몸을 내밀었을 때 나와 같은 높이의 나뭇잎 사이에서 아주 험악하게 생긴 얼굴 하나가 꿋꿋이 나를 바라보고 있었어. 바로 그때 갑자기 마치 내 눈을 가리고 있던 베일이 걷힌 듯이 나무가 뒤엉킨 어둠 속 깊숙한 곳에서 사람들의 벗은 가슴이며 팔이며 다리며 번뜩이는 눈 따위가 분간되더군. 그 관목 숲에는 온통 번질거리며 움직이는 인간의 청동빛 팔다리가 우글거리고 있었어. 잔가지들은 떨리거나 흔들리며 살랑거렸는데 거기서 화살이 날아들고 있더군. 그래서 덧창을 닫았지. '똑바로 배를 몰도록.' 내가 조타수에게 말했어. 그는 얼굴을 앞으로 내민 채 머리를 꼿꼿하게 세우고 있더군. 그러나 그는 눈알을 굴리며 계속 조용히 발을 들었다 놓았다 했는데 입에 거품을 약간 물고 있더군. '가만히 있지 못해!' 내가 화를 내며 말했지. 그건 마치 바람에 흔들리는 나무에게 흔들리지 말라고 명령하는 격이었어. 나는 쏜살같이 뛰어나갔지. 발아래에서 철제 갑판 위를 오가는 많은 사람들의 발소리와 고함 소리가 어지럽게 들리더군. 누군가가 '배를 돌릴 수 없을까?'라고 비명을 질렀어. 앞을 내다보니 강물이 브이 자형 물결로 갈라지는 곳이 보였어. 맙소사! 장애물이 또 나타난 거야. 발아래서는 일제 사격이 시작되더군. 백인들이 윈체스터 소총을 사격하며 무작정 관목 숲을 향해 납덩이를 퍼부었던 거야. 지독히도 많은 양의 초연(硝煙)이 솟아오르며 천천히 앞으로 번져 나가더군. 나는 그 광경을 보며 욕을 퍼부었지. 이제는 잔물결도 장애물도 보이지 않았어. 나는 문간에 서서 밖을 내다보고 있었는데 화살이 무수히 날아드는 거야. 그 화살에 혹시 독이 발려 있었는지는 모르나 보기에는 고양이 한 마리도 죽이지 못할 것 같더군. 숲에서는 울부짖는 소리가 들려왔어. 연료용 나무 베기 담당 검둥이들이 전투적인 함성을 올리더군. 바로 내 등 뒤에서 들리는 총소리에 귀가 먹먹했어. 내가 어깨 너머로 힐끗 돌아보며 타륜 쪽으로 뛰어드니 조타실이 아직도 소음과 초연으로 가득하더군. 바보 검둥이는 타륜을 놓은 채 덧창을 열어젖히고 마티니 헨리 소총을 쏘려 하고 있었어. 활짝 열린 창 앞에 두리번거리며 서 있더라고. 나는 기선의 방향이 갑자기 뒤틀리는 것을 바로잡으며 그에게 제자리로 돌아오라고 고함쳤어. 배의 방향을 바꾸고 싶어도 공간적 여유가 없더군. 그놈의 초연에 가려 보이지 않았지만 장애물이 전방 어디엔가 가까이 있었어. 더 시간을 지체할 수 없어 나는 배를 곧장 강둑 쪽으로 밀어붙이는 수밖에 없었지. 그곳의 수심이 깊다는 것을 알았거든.

꺾어진 가지와 흩날리는 나뭇잎의 소용돌이 속에서 우리는 강물 위로 쏟아질 듯 기울어진 관목 숲을 따라 천천히 내달았어. 아래쪽에서는 일제 사격이 멎더군. 내가 예상한 대로 탄창이 비어 사격이 멎었던 거야. 무언가 번쩍이는 물체가 휘익 소리를 내며 한쪽 창으로 들어와 조타실을 가로지른 후 다른쪽 창으로 나가는 것을 보고 나는 고개를 뒤로 돌렸지. 그 미친 조타수는 장전되지 않은 소총을 흔들며 강변 쪽을 향해 소리를 지르고 있었는데 그 너머로 바라보니 희미한 사람들의 모습이 더러는 몸을 굽히고 더러는 깡충깡충 뛰거나 미끄러지듯이 뛰어다니고 있었어. 그 광경은 뚜렷하지만 온전치는 않아 잠시 보이다가 이내 사라지곤 하더군. 무언가 큼직한 것이 덧창 앞 허공에 나타나자 그 소총은 강물로 떨어졌고 조타수는 날쌔게 뒷걸음질하면서 대단히 심오하고 친근하게 어깨 너머로 나를 바라보고는 내 발 위로 쓰러졌어. 그의 옆머리가 타륜에 두 번 부딪혔고 기다란 지팡이처럼 생긴 물체의 끝부분이 덜커덕거리면서 작은 야영용 의자를 때리더군. 마치 그 검둥이 조타수가 강기슭에 있던 사람에게 그 지팡이를 빼앗으려고 애쓰다가 그만 몸의 균형을 잃고 뒤로 넘어지는 것 같았어. 어느새 엷은 초연은 바람에 날려가고 없었고 우리 기선은 그 장애물을 벗어나 있더군. 앞을 내다보니 이제는 100야드쯤만 더 나아가면 강둑에서 자유로이 벗어날 수 있을 듯했어. 그러나 내 발이 아주 뜨뜻하고 축축해지기에 내려다보았지. 그녀석이 반듯이 누워 뒹굴며 두 손으로 지팡이를 움켜잡은 채 똑바로 나를 노려보고 있었어. 그가 붙잡고 있는 것은 창이더군. 누군가가 그 열려 있던 덧창으로 던지거나 찌른 창이 그의 갈비뼈 바로 아래 옆구리에 박혀 있었던 거야. 창날은 무시무시한 상처를 내며 몸에 박혀 있어 보이지 않더군. 내 신발은 흠뻑 젖었고 타륜 아래에는 검붉은 피 웅덩이가 아주 조용히 고여 있었어. 그의 눈이 놀라운 빛을 내며 반짝거리더군. 일제 사격이 다시 시작되었어. 그는 무언가 소중한 것을 지키듯이 창을 움켜잡은 채 근심스럽게 나를 바라보았는데 마치 내가 그 창을 빼앗을까 봐 겁을 먹은 듯한 모습이더군. 나는 그의 눈초리를 외면한 채 배의 운항에만 열중하려고 했어. 나는 한쪽 손으로 머리 위를 더듬어 기적(汽笛) 손잡이 끈을 찾아 성급히 연거푸 몇 번이나 삐익삐익 소리를 울려 보았어. 그리자 성난 전투적 함성이 대번에 멎었고 이내 깊은 숲에서는 슬픔에 젖은 두려움과 철저한 절망을 담은 채 길게 떨리는 울부짖음만 들려오더군. 그 소리는 이 세상에서 마지막 희망이 사라진 뒤에나 들을 수 있을 법한 애절한 울부짖음이었어. 숲에서는 큰 소동이 벌어지고 있었어. 소나기처럼 쏟아지던 화살도 뚝 끊어지더군. 마지막 한두 개의 화살이 떨어지면서 날카롭게 쩌렁거리더니 이내 정적이 찾아왔고 선미의 동력륜이 나른하게 물을 차는 소리만 귓전에 또렷하게 들렸어. 내가 키를 우현(右舷)으로 바짝 꺾는 순간 분홍빛 파자마를 입은 백인이 열에 들뜨고 마음이 산란한 듯한 모습으로 문간에 나타나더군. '지배인께서 보내서 왔습니다……' 그가 격식을 갖춘 어조로 말을 시작하더니 이내 말문이 막히더군. '맙소사.' 그가 다친 사람을 내려다보며 말했어.

우리 두 백인은 그를 내려다보며 서 있었지. 그 윤기 있고 무엇을 캐묻는 듯한 눈초리가 우리를 사로잡았던 거야. 정말이지 그는 우리가 알아들을 수 있는 어떤 언어로 곧 무슨 질문이라도 던지려는 것처럼 보였어. 하지만 그는 아무 소리도 내지 못했고 팔다리를 움직이거나 근육 하나 까딱하지 못하고 죽었어. 마지막 순간에 우리에게는 보이지 않은 어떤 신호와 우리 귀에 들리지 않은 어떤 속삭임에 응답하듯이 몹시 상을 찌푸리기만 하더군. 그 찌푸림은 죽음에 임하는 그의 검은 얼굴에 상상하기 어려울 정도로 어둡고 침통하고 위협적인 표정을 만들어 냈지. 무엇을 캐묻는 듯하던 눈초리 속에서 빛은 순식간에 공허한 유릿빛으로 퇴색하더군. '키를 잡을 수 있겠소?' 내가 열띤 어조로 그 친구에게 물었지. 그가 난처한 표정을 짓더군. 하지만 내가 그의 팔을 움켜잡자 그는 자기가 키 잡는 법을 알든 모르든 내가 키를 잡아 주길 바란다는 것을 알아차렸어. 사실 그때 나는 구두와 양말을 갈아신고 싶어 죽을 지경이었어. '저 사람은 죽었군요.' 그 친구가 몹시 강한 인상을 받은 표정으로 중얼대더군. '죽은 게 틀림없소.' 내가 미친 듯이 구두끈을 풀며 말했지. '그런데 커츠 씨도 지금쯤은 죽었을 것 같소.'

그 당장에는 그게 지배적인 생각이었어. 마치 전혀 실체가 없는 무엇을 찾아내려고 애써 왔다는 사실을 뒤늦게 깨친 것처럼 나는 지극히 실망하지 않을 수 없었어. 설령 내가 커츠 씨를 만나 이야기를 나누어야겠다는 목표 하나만 가지고 그 먼 길을 찾아갔더라도 마음이 그때처럼 언짢지는 않았을 거야. '그를 만나 이야기하는 것이야말로……' 이렇게 생각하면서 나는 신을 벗어 강물에 버렸지. 그러고는 커츠와 이야기하는 것, 그것이야말로 정확히 내가 고대하던 것임을 알게 되었어. 그간 나는 그를 행동인(行動人)의 모습으로 상상하지 않고 오직 담론가(談論家)의 모습으로 상상하고 있었다는 흥미 있는 사실을 알게 되었어. 그러자 '이젠 그를 만날 수 없겠다.'라든가 '이젠 그와 악수할 수 없겠다.'라는 생각 대신에 '이젠 그의 이야기를 영영 들을 수 없겠구나.' 싶어지더군. 그 사람은 나에게 하나의 목소리로만 부각되고 있었던 거야. 물론 내가 그를 모종의 행동과 결부시키지 않았다는 건 아니야. 그간 나는 커츠가 다른 모든 주재원들이 수집한 상아를 합친 것보다도 많은 상아를 수집, 교역, 편취(騙取) 또는 도적질 해 왔다고 백인들이 질시(疾視)와 찬탄이 섞인 어조로 말하는 것을 들었거든. 그러므로 그가 행동인이었느냐 아니냐 하는 것은 중요하지 않았어. 중요한 것은 그가 많은 재주를 타고난 사람이라는 사실이었고 또 그 재주 중에서도 실재감(實在感)이 가장 두드러진 것은 바로 그의 담론 능력과 그의 말이라는 사실이었어. 그것은 그의 타고난 표현력으로 당혹감과 깨우침을 주며 가장 고양되어 있으면서도 가장 경멸할 만한 것이어서 고동치는 빛의 흐름 같거나 어떤 뚫을 수 없는 암흑의 핵심에서 기만적으로 흘러나오는 것이었어.

다른 쪽 구두도 그 마(魔)의 신(神) 같은 강물 속으로 날아갔네. 그때 나는 생각했지. 맙소사, 이제 모든 게 끝났어. 우린 너무 늦었다고. 창에 찔리거나 화살에 맞거나 아니면 몽둥이에 맞아 그는 사라져 버렸겠지. 그의 재주가 사라져 버린 거야. 이제는 무엇보다 그 녀석이 이야기하는 것을 영영 듣지 못하게 됐군. 이렇게 생각하니 내 슬픔은 놀라울 정도로 복받쳐 올랐고 숲속에서 울부짖던 야만인들의 슬픔 속에서나 찾아볼 수 있던, 바로 그런 감정이었네. 내가 설령 어떤 신앙을 박탈당했다든가 일생의 행운을 놓쳤더라도 그때처럼 외로운 절망감을 느끼지는 않았을 거야…… 왜 그런 고약한 한숨 소리를 내는가? 누군가? 내 이야기가 당치도 않다는 뜻인가? 글쎄, 말도 안 되는 이야기로 비칠 수도 있겠지. 하지만 말이야, 사람이 일생을 살면서 어찌…… 이봐, 담배 좀 주게나……."

깊은 정적 속에 잠시 이야기가 중단되었다. 이내 성냥불이 번쩍 빛나더니 말로의 깡마른 얼굴이 나타났는데 지쳐서 홀쭉해 보였다. 주름살과 눈꺼풀은 아래로 처져 있고 주의력을 집중하는 듯한 모습이 역연했다. 그가 뻐끔뻐끔 파이프를 빨아들일 때 작은 불꽃이 규칙적으로 명멸함에 따라 얼굴이 밤의 어둠 속으로 숨었다 나타났다 하는 것 같았다. 성냥 불이 꺼졌다.

"말도 안 된다고!" 그가 소리쳤다. "그게 바로 가장 이야기하기 어려운 점이야……. 이곳에서는 자네들 모두 마치 닻을 두 개씩 내린 폐선(廢船)처럼 좋은 곳 두 곳과 관계 맺으며 살고 있는 셈이지. 한 모퉁이를 돌아가면 먹을 것을 대 줄 푸주한이 있고 다른 모퉁이를 돌면 신변을 보호해 줄 경찰관이 있으니까. 게다가 식욕이 좋고 체온은 정상적이지. 자네들의 체온은 1년 내내 정상적이란 말이야. 알겠나? 그런 자네들이 내 이야기를 듣고 말도 안 된다고 생각하다니! 그런 생각은 하지 말게. 이봐, 오직 겁에 질린 나머지 신고 있던 새 구두를 벗어서 막 강물에 던져 버린 사람에게서 무슨 생각을 기대할 수 있겠나? 지금 생각하면 내가 눈물을 쏟지 않은 것이 놀라울 지경일세. 나는 내 꿋꿋한 자세를 대체로 자랑스럽게 생각하는 편이야. 재주 많은 커츠의 이야기를 듣는 무한한 특전을 이제 상실하고 말았구나 싶어 마음이 쓰리더군. 물론 그런 추측은 잘못된 것이었어. 그 특전이 나를 기다리고 있었으니까. 그의 이야기를 아주 실컷 들을 수 있었거든. 그런데 내 추측이 맞았다고도 할 수 있어. 내가 들은 것은 하나의 목소리뿐이었으니까. 그는 하나의 목소리에 불과한 존재였어. 하지만 나는 들었어. 그가 하는 이야기, 그것, 이런 목소리, 저런 목소리를 들었던 거야. 그 모든 것은 목소리였을 뿐 그 이상이 아니었어. 당시의 기억이 아직 내 마음속에 남아 있지만 아무 의미 없이 오직 바보스럽거나 난폭하거나 추잡하거나 야만적이거나 그저 야비하기만 한 거대한 재잘거림이 사라지면서 남기는 진동처럼 내게는 분명치가 않아. 목소리, 목소리, 심지어 그 여인마저 지금 생각하면……."

그는 오랫동안 입을 다물고 있었다.

"결국 나는 거짓말로 그의 재능이라는 망령(亡靈)을 잠재웠어." 별안간 그가 입을 다시 열었다. "내가 방금 그 여인이라고 했던가? 아니, 앞서 내가 한 여인이 있었다는 말을 했지? 하기야 그녀는 내 이야기와 전혀 관계없어. 그네들, 여인들 말이야, 그들은 내 이야기와 관련 없고 마땅히 관련 없어야 해. 우리는 여인들이 자기네 아름다운 세계에 머물러 있도록 도와야 하거든. 그래야만 우리의 세계가 좀 더 어려워지는 것을 막을 수 있을 테니까. 아, 그러니 그 여인도 내 이야기에서는 빠져야겠네. 무덤을 파서 끄집어낸 커츠 씨의 시신이 '내 약혼녀'라고 말하는 것을 자네들이 들을 수 있으면 좋겠네. 그러면 자네들은 그녀가 얼마나 철저히 제외되고 있었는지 곧장 알아차릴 수 있을 텐데. 그리고 커츠 씨의 그 높다란 이마뼈를 자네들이 보았으면 좋겠어. 죽은 후에도 시신의 머리카락은 계속 자란다는 말이 있지. 하지만 그 별난 인간은 대머리가 인상적이었어. 밀림이 그만 그의 머리를 쓰다듬었던가 봐. 그래서 그의 머리는 공처럼, 그것도 상아로 만든 공처럼 되어 버렸던 거야. 밀림이 그를 쓰다듬자 그는 그만 시들어 버렸어. 밀림은 그를 받아들였고, 사랑했고, 껴안았고, 그의 핏줄 속으로 들어가 그의 육신을 불태웠고, 어떤 악마의 풍습에 입문시키기 위한 상상하기조차 어려운 제례(祭禮)를 통해 그의 영혼을 밀림 자체의 영혼에 병탄되게 했던 거야. 그는 밀림에게 버릇없이 응석을 부려 총애를 받게 되었어. 상아 때문이었다고? 나는 그렇게 생각하고 싶어. 상아가 산더미처럼 쌓여 있더군. 그 낡은 진흙 오두막이 상아로 꽉 차 있었으니까. 그 일대에서는 땅속에서건 땅 위에서건 코끼리의 송곳니를 더 이상 찾아볼 수 없겠구나 싶을 지경이었어. '대부분은 화석이지요.' 지배인이 대수롭잖다는 듯이 말하더군. 그러나 도저히 그 상아를 화석이라고 부를 수는 없어. 그런데도 사람들은 땅속에서 파낸 상아를 화석이라고 부르더군. 검둥이들은 이따금 상아를 땅에 묻기도 하는 모양이야. 하지만 재주 많은 커츠를 그의 운명으로부터 구원할 수 있을 만큼 상아 꾸러미를 깊이 묻지는 못했던 거야. 우리는 기선에 상아를 가득 채웠고 갑판에도 많은 상아를 쌓아 두어야 했네. 그리하여 그는 자기 눈으로 볼 수 있는 한 오래도록 상아 더미를 보며 즐거워할 수 있었어. 그가 그 혜택을 고맙게 여긴다는 기색이 죽는 날까지 그의 표정에서 사라지지 않았으니까. 그가 '내 상아'라고 하는 소리를 자네들이 직접 들어 보았더라면 좋을 텐데. 아무렴, 나는 들을 수 있었지. 그는 '내 약혼녀, 내 상아, 내 주재소, 내 강, 내……' 어쩌고 하면서 모든 것을 자기 것이라고 했어. 그런 소리를 들을 때마다 밀림이 그만 하늘에 박힌 별들을 뒤흔들 정도로 굉장한 웃음을 터뜨리지나 않을까 싶어 나는 숨을 죽이곤 했지. 그는 모든 것을 자기 것이라고 했어. 하지만 그것은 하찮은 주장이었지. 중요한 것은 그가 무엇에 복속(服屬)했고 얼마나 많은 어둠의 세력이 그를 소유하려고 하는지 알아내는 것이었어. 그런 생각을 하면 누구나 몹시 오싹해지지. 그런 상상은 하려고 해도 할 수 없고 상상해서 우리에게 좋을 것도 없어. 그는 문자 그대로 그 땅의 악마들 가운데서도 높은 자리를 차지하고 있었던 거야. 자네들은 이해할 수 없어. 자네들이 어떻게 이해할 수 있겠나? 자네들이야 단단한 보도를 딛고 서서, 늘 자네들에게 살갑게 굴거나 덤벼들기도 하는 이웃들에게 둘러싸인 채, 푸주한과 경찰관 사이를 조심스럽게 오가면서, 추문과 교수대와 정신병자 수용소 따위를 거의 신앙처럼 두려워하며 살고 있으니 자네들이 어떻게 상상인들 할 수 있겠나? 경찰관의 도움을 받지 못하는 철저한 외로움이라든가 다정한 이웃이 여론이랍시고 속삭여 주는 경고의 목소리를 들을 수 없게 하는 철저한 침묵으로 인해 한 인간의 자유로운 발길이 어떤 별난 태초의 땅으로 이끌려 갈 수 있는지 자네들은 아마 상상할 수 없을 거야. 이런 경찰관이니 이웃이니 하는 사소한 것들이 있느냐 없느냐가 실은 큰 차이를 이루는 법일세. 그런 것들이 사라지고 나면 자네들은 자신의 타고난 힘과 스스로 충실하게 살 수 있는 능력에 의존해야 하니까. 물론 자네들이 너무 바보스러운 나머지 아예 잘못된 길로 들어서는 일조차 없을 수도 있고, 또는 너무 우둔한 나머지 어둠의 세력에게 공격받으면서도 그걸 모르고 지낼 수도 있어. 내가 생각하기로는, 일찍이 그 어느 바보도 자기 영혼을 걸고 악마와 흥정한 적은 없었네. 바보가 너무 바보스럽기 때문이거나 악마가 너무 악마답기 때문일 테지만 어느 쪽인지 나는 모르겠네. 혹은 자네들이 아주 요란하게 고상한 인물들이어서 하늘에서 나타나는 광경이나 소리가 아니고는 어느 것에 대해서도 철저히 보거나 듣지 못할 수도 있겠지. 그럴 경우에는 이 지상도 자네들에게는 그저 서 있는 장소에 불과하겠으나, 그게 자네들에게 득이 될지 손해가 될지는 말하지 않겠어. 그러나 우리 인간은 대부분 바보도 아니고 고상한 인물도 아니라네. 우리에게 이 지상은 사는 곳이고 이곳에서 우리는 여러 광경이나 소리나 냄새를 접하면서 참고 견뎌야 하지. 냄새 얘기가 나왔으니 말이지, 맙소사, 그 죽은 하마 고기 냄새를 맡으면서도 오염되지 않고 살아야 하네. 바로 그런 곳에서 우리의 능력이 발휘될 수 있는 거야, 알겠는가? 그 썩은 고기를 묻기 위해 땅에 꼴사나운 구멍을 파는 능력이라든가, 자신에 대해서가 아니라 어떤 막연하고 힘든 일에 대해서도 자네들이 헌신할 수 있다는 믿음이 있어야 하네. 그런데 그건 어려운 일이야. 내가 여기서 변명이나 설명을 하려고 하지는 않겠어. 나는 나 자신에게 커츠 씨를 위한 해명을 하려 할 뿐이네. 커츠 씨의 망령을 위해서야. 어딘지 알 수 없는 오지에서 삶의 비밀을 깨우치고 유령처럼 나타난 그가 영영 사라지기 전에 나에게 놀라운 말을 몰래 전해 주었거든. 그 유령이 나에게 영어로 말할 수 있었기 때문에 그게 가능했어. 원래의 커츠는 교육을 어느 정도 영국에서 받았어. 그래서 그가 스스로 말한 대로 그의 공감력이 올바로 발휘되고 있었던 거야. 그의 모친에게는 영국인의 피가 절반 섞여 있었고, 부친에게는 프랑스인의 피가 절반 섞여 있었어. 말하자면 커츠라는 사람을 만들어 내는 데 온 유럽이 기여한 셈이지. 얼마 후에 내가 알게 된 일이지만, 국제야만풍습억제협회에서 그에게 장래에 지침으로 삼을 보고서를 작성해 달라고 부탁했는데 그건 정말 아주 적절한 조처였어. 그는 그 보고서를 작성했고 나는 그걸 보았어. 읽어 보았단 말이네. 그건 작성자의 달변이 진동하는 듯한 보고서였고 어조가 지나치게 긴장되었다고 여겨지더군. 그는 빽빽한 열일곱 쪽짜리 보고서를 쓸 시간을 낼 수 있었던 거야. 그러나 그의 정신이 이상해진 나머지 그가 차마 입에 담을 수 없는 의식(儀式)으로 끝나는 모종의 한밤중 춤추기를 주관하던 시기 이전에 그 보고서를 작성한 것이 분명해. 정말 내가 여러 경우에 뜻하지 않게 들은 것을 근거로 추측하건대, 그 의식은 원주민들이 그에게 바치는 것이었어. 알겠는가? 커츠 씨 자신에게 바친 의식이었다고. 그러나 그 보고서만은 아름답게 쓰인 글이었어. 하지만 훗날 내가 접한 정보에 비추어 볼 때, 그 보고서의 첫 단락이 지금은 불길하게 여겨지기도 해. 그의 주장이 이렇게 시작되었거든. 우리 백인들이 그간 이루어 놓은 발전을 출발점으로 삼아 '그네들 야만인에게는 마땅히 초자연적인 존재인 것처럼 보여야 하고, 하느님 같은 힘을 과시하면서 그들에게 접근해야 한다.' 등의 내용이 바로 그거야. 그리고 '우리는 단순히 의지를 행사하기만 해도 실제로 무한한 이익을 위한 능력을 발휘할 수 있다.' 등의 구절도 있었지. 바로 여기서부터 그의 어조는 고양되어 나를 사로잡기 시작하더군. 지금 기억하기는 어려우나 보고서의 맺음말은 화려했어. 위엄 있는 선의(善意)를 가지고 그 거대한 이국적

(異國的) 세계를 통치해야 한다는 생각이 담겨 있었어. 그 구절을 읽으니까 나도 열광하지 않을 수 없더군. 그건 무한한 달변의 힘이었고, 말의 힘, 불타는 듯 고귀한 말의 힘이었다니까. 그 어구들의 마력적 흐름을 방해할 만한 힌트는 실제로 전무했어. 예외가 있었다면 그건 마지막 쪽 밑부분에 써 둔 일종의 메모였는데, 훗날 떨리는 손으로 갈겨썼음이 분명한 그 메모는 하나의 방안을 밝힌 것으로 간주될 수 있었지. 내용은 단순했어. 온갖 종류의 이타적(利他的) 감정에 감동적 호소를 해 오던 글의 끝부분에서 그 메모는 마치 청천벽력의 섬광처럼 휘황하고 무서운 빛으로 나를 향해 '모든 야만인을 말살하라!'라며 불타오르는 듯했어. 이상한 것은 그가 그 귀중한 후기(後記)를 까맣게 잊어버리고 있었음이 분명했다는 거야. 왜냐하면 훗날 그가 어떤 의미에서 제정신을 차리게 되었을 때 그는 그 보고서를 '내 팸플릿'이라고 부르면서 그게 장차 자기 출세에 유리한 영향을 끼칠 것이 분명하므로 부디 잘 보관해 달라고 누차 간청했기 때문이야. 나는 그 모든 것에 대한 정보를 충분히 가지고 있었을 뿐 아니라 훗날 드러난 것처럼 그에 대한 기억까지 관리하게 되어 있었어. 나는 그 기억을 지키기 위해 애를 쓸 만큼 썼기 때문에 내가 원한다면 이제는 발전의 쓰레기통에 그것을 담아 문명의 쓰레기들이랄까, 좀 비유적으로 말해 이제는 쓸모없어진 문명의 잔재들 사이에서 영원히 잠들게 할 수도 있고 그렇게 할 권리가 내게 있다고 해도 아무 논란이 없을 거야. 그러나 나는 그렇게 하고 싶지 않아. 그는 영원히 잊히지 않을 사람이니까. 정체가 무엇이었든 그는

평범한 사람이 아니었어. 아직 원시적 초보 상태에 있던 인간들을 매혹하거나 겁줌으로써 그들이 자기를 위해 몹쓸 악마의 춤을 추도록 하는 능력까지 그에게는 있었던 거야. 또 그는 백인들의 야비한 영혼에 혹독한 불안감을 가득 채울 수도 있었어. 그리고 그에게는 헌신적인 친구가 적어도 한 명은 있었지. 원시적 초보 상태에 있지 않았고 그렇다고 이기적인 추구에 감염되지도 않은 사람을 그는 자기 사람으로 만들어 두었던 거야. 진정코 나는 그를 잊을 수 없어. 물론 우리가 그를 찾아가는 도중에 잃은 한 생명체만큼 그 녀석이 소중했다고 주장하고 싶지는 않아. 나는 이미 고인이 된 그 키잡이를 몹시 아쉬워하고 있었거든. 그의 시신이 아직 조타실에 누워 있는 동안 나는 이미 그를 아쉬워했으니까. 아마 자네들은 검은 사하라 사막에 있는 모래알만큼도 값이 나가지 않을 야만인 때문에 내가 그토록 섭섭해하다니 지독히 이상하다고 여기겠지. 자네들은 모르겠는가? 그 검둥이는 상당한 역할을 하고 있었어. 그는 키를 잡고 있었거든. 여러 달 동안 그는 내 뒤에서 나를 돕고 내 수족 노릇을 했어. 그건 일종의 동업 관계였어. 그는 나 대신 키를 잡았고 나는 그를 돌보며 그의 결함에 신경을 써 주었거든. 그래서 일종의 유대 관계가 생겼는데 그 관계가 갑자기 깨지고 나서야 비로소 그런 관계가 있었다는 사실을 깨달을 수 있었지. 그가 창에 찔린 후 내게 던진 그 친밀하고 심오한 눈초리는 마치 어떤 지고(至高)한 순간에 확인된 먼 친척 관계를 주장하는 것처럼 보였고 오늘날까지 내 기억에 생생히 남아 있어.

가엾은 바보 같으니! 그 덧창만 그냥 두었더라도 죽지 않았을 텐데. 커츠처럼 그에게도 자제력이 없었던 거야. 자제력이 없었다고. 바람에 흔들리는 나무 같았어. 마른 슬리퍼로 갈아신자마자 나는 그를 끌어냈지. 물론 끌어내기 전에 그의 옆구리에 박힌 창부터 뽑아야 했는데 눈을 딱 감고 그 일을 해냈어. 문지방을 넘을 때 그의 두 뒤꿈치가 한꺼번에 덜컥 튀었고 그의 어깨가 내 가슴을 짓눌렀어. 나는 필사적으로 그를 뒤에서 껴안고 있었어. 그의 시신은 정말 무겁더군. 지상의 어느 누구보다도 무거웠다고 생각돼. 시신을 끌어내자 나는 더 이상 소란 떨 것 없이 곧장 그걸 갑판 너머로 밀어 버렸지. 흐르는 강물이 마치 풀잎 하나를 삼키듯이 그 시신을 삼켰고 시신은 두어 차례 뒹굴더니 영영 시야에서 사라졌어. 모든 백인과 지배인은 조타실 주변의 차양 친 갑판에 모여 흥분한 까치 떼처럼 서로 재잘거리고 있었지. 내가 무정하게 그 시신을 재깍 물속에 던져 버려 속이 상한 듯 투덜대는 소리도 들리더군. 그들이 대체 무엇 때문에 그 시체를 버리지 말고 그냥 두고 싶어 했는지 나는 짐작할 수 없었네. 혹시 그 시체에 방부(防腐) 처리라도 하자는 것이었을까. 하지만 그때 아래층 갑판에서 또 다른 불평 소리가 들려왔는데 아주 불길한 불평이었어. 나무 베는 일을 맡은 녀석들도 백인들처럼 속상해하고 있었는데 그 이유가 백인들의 불평보나는 더 그럴듯했지. 물론 그건 절대 용납할 수 없는 이유였어. 용납할 수 없고말고. 만약 고인이 된 나의 키잡이를 먹잇감으로 주더라도 오직 물고기에게만 먹이겠다는 것이 내 결심이었으니까. 살아 있는 동안 그는 참으로 변변찮은 키잡이에 불과했지만 죽어서는 최상의 유혹물이 되어 끔찍한 말썽을 일으킬지도 모를 일이었어. 그뿐 아니라 그 분홍빛 파자마를 입고 있던 녀석이 참으로 바보처럼 타륜(舵輪) 잡는 일을 전혀 해내지 못했기 때문에 내가 급히 잡아야 했어.

그 간략한 장례가 끝나자 곧장 나는 타륜을 잡았네. 우리는 속도를 반으로 줄이고 강 한복판을 따라 올라갔어. 나는 주위에서 사람들이 주고받는 말에 귀를 기울이고 있었는데 그들은 커츠가 살아 있을 가망이 없다고 여기고 주재소에 대해서도 포기하고 있더군. 커츠는 죽었을 것이라느니 주재소는 불탔을 것이라느니 말이 많더군. 빨간 머리 백인은 가엾은 커츠의 죽음에 제대로 보복한 셈이라고 여기며 미친 사람처럼 굴었어. '이봐. 우리가 숲속에 숨어 있던 녀석들을 신나게 살육했을 거라고 생각해 봐. 응? 어떻게 생각하느냐고? 말해 봐.' 그 피에 굶주린 빨간 머리 녀석은 춤을 추듯 날뛰더군. 그런데 사실 그는 창에 찔린 사람을 보고서도 기절할 뻔하더라니까. 그래서 나는 '하여간 당신네가 총을 쏘느라 많은 초연을 뿜기는 했지요.'라고 말할 수밖에 없었어. 숲의 윗부분이 살랑이며 펄럭인 것으로 보아 거의 모든 총알이 너무 높은 곳으로 발사되었다는 것을 나는 알았던 거야. 총을 어깨에 대고 겨냥해서 쏘지 않고는 아무 표적도 맞힐 수 없는 것 아닌가. 그러나 그 녀석들은 눈을 감은 채 총을 허리에 대고 쏘았거든. 나는 원주민들이 후퇴한 것은 끼익하고 우는 기적 소리 때문이었다고 주장했는데 내 말은 옳았어. 그러자 그들은 커츠 걱정은 하지 않고 내게 성을 내며 항의를 퍼붓기 시작하더군.

지배인은 타륜 옆에 서서 무슨 일이 있어도 어두워지기 전에는 강을 상당히 올라가 두어야 한다고 은밀히 속삭였어. 바로 그때 멀리 강변에 숲을 터서 만든 빈터와 건물 한 채의 윤곽이 보이더군. '저게 뭘까요?' 내가 물으니 그가 놀라 손뼉을 치면서 '주재소군요!'라고 소리쳤어. 나는 여전히 반으로 줄인 속도 그대로 곧장 주재소를 향해 조금씩 다가가기 시작했지.

망원경으로 바라보니 비탈진 언덕에 드문드문 나무가 서 있고 관목 덤불은 전혀 볼 수 없었어. 정상에는 무너져 가는 건물이 높다랗게 자란 풀 속에 반쯤 가려진 채 길게 서 있더군. 멀리서 보아도 뾰족지붕에 뚫린 커다란 구멍이 시커멓게 입을 벌리고 있는 듯했는데 밀림과 숲이 그 배경을 이루고 있었어. 그 주변에는 담이나 울타리가 전혀 없었지만 집 가까이에 대여섯 개의 가는 기둥이 한 줄로 서 있는 것으로 보아 한때 울타리가 있었음이 분명했어. 그 기둥들은 대충 다듬어져 있었는데 끝이 둥그렇게 조각된 공 같은 물체로 장식되어 있더군. 울타리의 가로장이라든가 기둥 사이를 막고 있던 것들은 사라지고 없었으나 물론 숲이 그 일대를 둘러싸고 있었어. 강둑에는 아무것도 놓여 있지 않았고 물가에서는 수레바퀴처럼 생긴 모자를 쓴 백인 한 사람이 팔을 휘휘 저으며 끈질기게 손짓하더군. 숲의 가장자리를 아래위로 살펴보고 나서 나는 여러 가지 움직임이 있구나 싶었는데 그건 미끄러지듯 움직이는 사람들의 모습이었어. 나는 조심스럽게 그곳을 지난 후 엔진을 끄고 배가 떠내려가게 했어. 강가에 있는 사내가 우리에게 상륙하라고 고함을 지르며 재촉하더군. '우리는 공격을 받 았소.'라고 지배인이 소리 지르니까 '알아요. 안다고요. 하지만 괜찮아요.'라고 그가 한껏 명랑한 목소리로 고함질렀어. '이리 로 오세요. 괜찮다고요. 반갑습니다.'

그의 모습을 보니 내가 어디선가 보았던 우스운 게 생각나 더군. 배를 조심스럽게 접안하면서 나는 '이 녀석과 닮은 게 뭐더라?'라고 속으로 물었어. 갑자기 생각나더군. 그는 어릿광 대를 닮았던 거야. 옷은 아마 갈색 홀랜드 천으로 만든 것이 었을 텐데 온통 천 조각으로 기워져 있었지. 파랑, 빨강, 노랑 의 밝은 천 조각들이 등, 앞가슴, 팔꿈치, 무릎 부위에 기워져 있었어. 그의 재킷에는 채색한 띠가 둘러져 있고 바짓가랑이 의 아랫단은 주홍색이었어. 그 천 조각들은 아름답게 기워져 있어서 햇빛을 받으며 서 있는 그의 모습은 지극히 유쾌해 보 였을 뿐 아니라 놀라울 정도로 깔끔하더군. 아직 수염이 나지 않은 소년티가 남은 얼굴은 아주 하얗고 이렇다 할 특징이 없 었어. 코의 살갗이 벗겨지고 작은 눈은 파란색이었는데 그 흰 한 얼굴에서는 미소와 찌푸림이 마치 바람 부는 벌판 위의 햇 빛과 그늘처럼 서로 쫓거니 쫓기거니 하고 있었어. '선장님, 조 심하세요.' 그가 소리치더군. '간밤에 이곳에 장애물이 하나 박혔다고요.' '뭐! 또 장애물이라고?' 그때 내가 부끄러운 줄도 모르고 말을 험하게 했음을 고백하겠네. 그 같잖은 운항을 끝 내면서 나는 그만 그놈의 꼴불견 배에 구멍을 낼 뻔하지 않 겠나. 강둑에 서 있던 어릿광대 차림의 사내가 작은 사자코를 내게 들이밀면서 '당신 영국인이오?'라고 묻더니 환하게 미소를 짓더군. '당신도 영국인이오?' 내가 타륜을 잡은 채 물었어. 그러니까 그의 얼굴에서 미소가 사라졌고 그는 실망시켜서 미안하다는 듯이 머리를 젓더군. 그러고 나서 그가 다시 밝은 표정을 지으며 나를 향해 '하지만 상관 마세요.'라고 격려하듯이 소리를 지르더군. '우리가 너무 늦게 온 게 아닌가요?' 내가 물었지. '그분은 저 위에 계십니다.'라고 대답하면서 그가 머리를 쳐들어 언덕 위를 가리켰는데 그때 갑자기 그의 표정이 어두워지더군. 그의 얼굴은 마치 여름날처럼 한순간 찌푸렸다가 다음 순간 밝아지곤 했어.

지배인이 완전 무장을 한 백인들의 호위를 받으며 집 쪽으로 올라가자 그 녀석이 갑판 위로 올라오더군. 내가 '그런데 말씀이에요, 이대로 괜찮을지 걱정이에요. 원주민들이 숲속에 있을 텐데.'라고 말하니까 그는 아무 일도 없을 거라고 장담하더니 '그들은 순박하니까요.'라고 덧붙였어. '하여간 와 주셔서 반갑습니다. 그들을 물리치느라 나도 그간 여념이 없었다고요.' '하지만 방금 아무 일도 없을 거라고 하셨잖소.' 내가 소리쳤지. '아, 그들에게는 해칠 생각이 전혀 없었답니다.' 내가 그를 노려보자 그가 말을 고치면서 '정확히 말해 해칠 생각이 없었다고 할 수는 없겠군요.'라고 말하더군. 그러고 나서 발랄한 어조로 '맙소사, 선장님 조타실은 청소를 좀 해야겠군요!'라고 했어. 곤이어 그는 혹시 말썽이 일어날 경우 기저을 울릴 수 있도록 보일러에 증기를 충분히 가두어 두라고 하더군. '소총을 모두 끄집어내 일제 사격을 하는 것보다 삐익 하는 기적 소리를 한 번 울리면 더 효과가 있을 겁니다. 원주민들은 그만큼 순박하니까요.' 그가 거듭 말했어. 그가 이런 식으로 계속 지껄여 대는 통에 나는 완전히 압도당했지. 보아하니 그는 오랫동안 침묵을 지켜 온 데 대한 보상이라도 받아야겠다는 듯이 지껄였고, 실제로 웃으면서 그게 사실임을 넌지시 비치기도 했어. '커츠 씨와는 이야기하실 수 없었나요?' 내가 물었지. '아무도 그분을 상대로 이야기할 수 없어요. 그저 그분의 이야기를 들을 수 있을 뿐이니까요.' 그가 몹시 기고만장한 기분으로 소리치더군. '하지만 이제는······.'이라며 그는 팔을 저었네. 눈 깜짝할 사이에 더없이 깊은 절망의 심연에 빠지는 듯했어. 잠시 후에 그는 기분을 활짝 되살리더니 내 두 손을 덥석 잡고 계속 흔들며 이렇게 재잘거리더군. '동료 선원을 만나니······ 영광이고······ 즐겁고······ 기쁘기도 하고······ 나를 소개하자면······ 러시아인으로······ 고위 성직자의 아들인데······ 탐보프시의 행정당국과······ 뭐라고요? 담배요! 영국제 담배, 그 좋은 영국제 담배라고요? 친절도 하십니다. 담배를 피우느냐고요? 선원치고 담배를 피우지 않는 사람이 있나요?'

파이프 담배가 그의 마음을 가라앉혔고 나는 차츰 그 자신에 관한 이야기를 듣게 되었어. 그는 학교에 다니다가 도망친 후 러시아 배를 타고 바다로 나왔다는 거야. 그 배에서 다시 도망쳐 나와 얼마 동안 영국 배를 옮겨 가며 타고 다녔대. 그런데 그 무렵에는 그 고위 성직자와 화해를 했다면서 그 점을 특히 강조하더군. '하지만 누구나 젊은 시절에는 세상 물정을 구경하고 경험도 쌓고 여러 이념도 접해 보고 생각도 넓혀야지요.' '이런 곳에서요?' 내가 그의 말을 가로챘지. '불가능하다고는 할 수 없지요. 여기서 커츠 씨를 만났는걸요.' 그가 젊은 이다운 엄숙한 얼굴로 원망하듯이 말하더군. 그래서 나는 그 이상 말하지 않고 입을 다물었지. 보아하니 그는 해안에 있는 어떤 네덜란드 상사(商社)를 설득해 상품을 갖추어 달라고 한 후 가벼운 마음으로 내륙으로 들어왔지만 장차 자기가 어떻게 될지 전혀 몰랐다고 했어. 그는 거의 2년간이나 콩고강 일대를 헤매고 다니느라 바깥세상 사람들과는 단절된 채 살았다는 거야. '나는 겉보기만큼 어리진 않답니다. 나이가 스물다섯이나 된다고요.' 그가 말하더군. '처음에는 그 상사의 판슈이텐이라는 주인이 나를 상대도 하지 않으려 하더군요.' 그가 몹시 재미있는 듯한 어조로 이야기를 늘어놓았어. '하지만 나는 그에게 달라붙어서 계속 간청했어요. 그랬더니 내가 너무 귀찮게 굴어 견딜 수 없다고 여겼는지 결국 그는 나에게 약간의 싸구려 상품과 총 몇 자루를 쥐여 주면서 다시는 자기 앞에 얼굴을 보이지 말라고 하더군요. 판슈이텐이라는 사람 말입니다. 참 좋은 네덜란드인이었습니다. 1년 전에 약간의 상아를 그에게 보냈습니다. 그러니 이제 내가 그에게 돌아가도 나를 도둑놈이라고 부르진 못하겠지요. 그가 그 상아를 받았길 바랍니다. 그 밖에는 상관치 않겠어요. 선장께서 쓰시도록 장작도 약간 쌓아 두었는데요. 그곳에서 보신 집이 바로 제가 거처하던 집이고요. 보셨지요?'

나는 그에게 타우슨이 지은 책을 돌려주었어. 그는 그 책을 보고 반가운 나머지 내게 입이라도 맞출 듯했지만 자제하더군. '나에게 남아 있는 유일한 책인데 잃어버렸다고 생각했거

든요.' 그가 황홀한 눈으로 책을 바라보며 말하더군.' 혼자 나
돌아다니는 사람에게는 온갖 일이 다 일어난답니다. 타고 있
던 카누가 종종 뒤집히는가 하면, 원주민들이 화를 내기 시작
하면 황급히 도망쳐 나와야 할 때도 있어요.' 그가 엄지손가
락으로 책장을 넘겼어. '러시아 말로 메모를 하신 건가요?' 내
가 물었어. 그가 머리를 끄덕이더군. '나는 그 메모가 암호로
되어 있다고 여겼어요.' 내가 말했지. 그가 웃더니 이내 진지한
어조로 이렇게 말하더군. '이 원주민들을 물리치느라고 고생
을 많이 했답니다.' '그네들이 죽이려 하던가요?' 내가 물었어.
'아, 그런 건 아니고요!' 그가 소리쳤지만 곧 침착해지더군. 그
래서 내가 '그렇다면 그들이 왜 우리를 공격했나요?'라고 추궁
해 보았지. 그가 머뭇거리다가 수치스러운 듯한 얼굴로 이렇게
대답하더군. '원주민들은 그분이 떠나가는 것을 원치 않습니
다.' '원치 않는다고요?' 내가 영문을 몰라 물었지. 그는 수수
께끼와 지혜를 가득 드러내듯이 고개를 끄덕였어. '그런데 말
씀이에요.' 그가 소리치더군. '그분이 제 생각을 넓혀 주셨답니
다.' 이렇게 말한 후 그는 두 팔을 활짝 펴면서 아주 동그랗고
파란 작은 눈으로 나를 응시했어."

3장

"나는 놀란 나머지 어쩔 줄 몰라 그를 바라보았어. 얼룩빼기 옷차림으로 내 앞에 선 그의 모습은 마치 광대극 패거리에서 몰래 빠져나온 사람처럼 열정적이고 기상천외했어. 그가 그곳에 있다는 사실 자체가 도대체 개연성이 없고 해명될 수 없었으므로 나에게는 황당하기만 하더군. 그는 하나의 불가해한 문제 같았어. 그가 어떻게 생존해 왔는지, 어떻게 거기까지 이르는 데 성공했는지. 무슨 수로 거기 남을 수 있었는지, 왜 즉각 사라지지 않았는지 알 수 없었다니까. '조금씩 깊이 들어왔지요.' 그가 말하더군. '그리고 조금씩 더 깊이 들어오곤 했지요. 그랬더니 결국 너무 깊이 들어와 이제는 돌아가는 방법조차 모를 지경에 이른 거죠. 하지만 걱정 마세요. 시간은 많아요. 나는 이럭저럭 살아갈 수 있을 거예요. 어서 커츠나 데리고 가세요. 어서요.' 그의 얼룩빼기 누더기 옷, 그의 궁핍, 그의 외로움 그리고 그 부질없는 방황의 본질적 처량함 같은 것들을 젊음이라는 매력적 아름다움이 감싸고 있었어. 여러 달동안, 아니 여러 해 동안 그는 단 하루도 못 살 것처럼 절박하게 살면서도 그곳에서 용감하고 무모하게 지냈는데 그가 파멸을 면할 수 있었던 것은 아무리 보아도 오직 그의 젊음과 깊은 성찰을 거부하는 대담한 성격 덕분이었어. 그래서 나는 일종의 감탄이랄까 아니면 부러움이랄까 하는 것을 느끼지 않을 수 없었지. 특별한 매력이 그를 충동하여 앞으로 나아가게 했고, 매력이 그가 위해(危害)를 입지 않게 해 주었던 거야. 그가 밀림에서 얻고자 한 것은 숨을 쉬고 헤쳐 나갈 공간뿐이었어. 그에게 필요한 것은 가능한 최대의 위험과 최악의 궁핍을 감수하면서라도 생존하며 전진하는 것이었거든. 일찍이 절대적으로 순수하고 비타산적이며 비현실적인 모험 정신이 한 인간을 지배한 적이 있다면, 그 정신의 지배를 받은 사람은 다름 아니라 바로 그 얼룩빼기 옷을 입은 젊은이였을 거야. 나는 그가 지닌 겸허하면서도 분명한 불꽃같은 열정이 부러울 지경이었어. 그 열정의 불꽃은 자아에 대한 모든 생각을 너무 철저히 불태워 버린 듯해서 그가 나에게 이야기하는 동안에도 그 모든 일을 겪은 사람이 다름 아니라 내 눈앞에 서 있는 바로 그 사람이라는 사실을 잊을 지경이더군. 하지만 나는 커츠에 대한 그의 헌신만은 부럽지 않았어. 그가 그 헌신에 대해 깊이 생각했던 건 아니야. 헌신의 기회가 다가오자 그는 열렬한 숙명론자의 자세로 그것을 받아들였던 거야. 그러므로 내가 보기에 그 헌신이야말로 그가 일찍이 마주쳤던 위험 중에서 가장 위험한 것이었다고 말해야겠네.

바람이 없어서 꼼짝하지 못하고 서로 가까이 정박한 채 끝내 뱃전만 부딪치고 있는 두 척의 배처럼 두 사람은 서로 피할 수 없이 함께 있게 되었던 거야. 커츠에게는 자기 이야기를 들어 줄 사람이 필요했던 것 같아. 두 사람은 숲속에서 야영하며 종종 밤을 새워 이야기하곤 했다는데 아마 커츠가 일방적으로 이야기했을 테지. '우리는 모든 것에 대해 이야기했지요.' 그가 회상에 잠겨 넋을 잃고 말하더군. '나는 우리가 잠을 자야 한다는 것조차 잊고 있었어요. 하룻밤이 마치 한 시간처럼 짧게 느껴졌지요. 모든 것에 관해 이야기했어요. 모든 것을……! 사랑도 이야기했고요.' '아, 그가 사랑 이야기도 했군요!' 내가 몹시 흥미를 느끼며 말했지. '그건 우리가 생각하는 사랑이 아니었어요.' 그가 열띤 어조로 소리치더군. '보편적인 사랑이었지요. 그분은 내게 사물을 볼 수 있게 해 주었답니다. 사물을요.'

그가 두 팔을 쳐들더군. 그때 우리는 갑판에 있었는데, 나무를 베는 녀석들 우두머리가 근처에서 서성이고 있다가 무겁게 번쩍이는 눈을 그에게 돌리더군. 나는 사방을 둘러보고 있었지. 지금도 그 이유는 알 수 없지만 자네들에게 장담할 수는 있어. 일찍이 그 땅, 그 강, 그 밀림 그리고 그 이글거리는 아치형의 하늘이 나에게 그처럼 절망적이고 그처럼 어둡게 보인 적이 없었고, 인간의 생각으로 헤아리기가 그처럼 어렵고, 연약한 인간에게 그처럼 무자비해 보인 적이 없었다고 말이네. '물론 그때부터 당신은 내내 그와 함께 있었겠군요?' 내가 물어보았지.

그런데 그 반대였다는 거야. 여러 가지 이유로 그들의 사귐은 자주 단절됐던 모양이야. 그는 커츠가 병에 걸렸을 때 자기가 두 차례나 간병을 맡았다고 자랑스럽게 말했어. 그는 마치 어떤 위험한 곡예에 관해 말하듯이 그 이야기를 하더군. 그러나 대체로 커츠는 혼자서 멀리 깊은 숲속을 헤매고 다녔다는 거야. '내가 이 주재소로 찾아와 여러 날을 기다려야 그분이 나타난 적도 자주 있었으니까요.' 그가 말했어. '하지만 더러는 기다린 보람이 있었어요.' '그가 무슨 일을 했나요? 탐험 같은 걸 했나요?' 내가 물었지. '네, 물론이지요.' 그는 많은 원주민 마을을 찾아내고 호수도 하나 발견했다고 하더군. 그는 그 마을과 호수가 어느 쪽에 있는지 정확히 알지는 못한다고 했어. 너무 많은 것을 캐물으면 위험했기 때문이었대. 하지만 대부분의 경우 그는 상아를 찾아 탐험에 나섰다는 거야. 나는 '그렇지만 그 무렵에는 그에게 상아와 바꿀 상품이 남아 있지 않았을 텐데요.'라며 그의 말에 의문을 표했어. '아직 탄환은 많이 남아 있거든요.' 그가 나를 외면하면서 대답하더군. '쉽게 말해 그가 이 지방에서 약탈을 하고 있었던 셈이군요.' 내가 말하자 그는 머리를 끄덕이더군. '혼자 힘으로 그런 일을 할 순 없었겠죠!' 그러자 그는 호수 주변에 있는 마을들에 대해 뭐라고 중얼대더군. '커츠는 이 지방 부족이 자기를 추종토록 했군요. 그렇죠?' 내가 물었지. 그러니까 그는 약간 불안해하는 기색이었어. 그는 '이곳 사람들은 그를 우러러봤으니까요.'라고 대답하더군. 그런데 그 어조가 하도 별나기에 나는 그 까닭을 찾아 그의 얼굴을 살펴보았어. 커츠 이야기를 할 때 그의 어조에는 의욕과 망설임이 섞여 있었는데 그게 나에게는 기이하게 느껴졌어. 커츠가 그의 삶을 가득 채우고 있었고 그의 생각을 사로잡는가 하면 그의 감정까지 좌우하고 있었던 거야. '무슨 대답을 기대하십니까?' 그가 소리치더군. '그분은 마치 천둥과 번개처럼 원주민들 위에 군림했습니다. 원주민들은 일찍이 그런 걸 본 적이 없었거든요. 그래서 아주 무서워한 겁니다. 그분이 아주 무서운 사람으로 비쳤던 거지요. 우리가 커츠 씨를 판단할 때는 보통 사람들을 판단하듯이 할 수 없다고요. 없고말고요. 그분이 어떤 사람인지 짐작하실 수 있도록 한 가지 사례를 이야기하는 것이 좋겠네요. 어느 날 그분은 나까지 쏘려고 했답니다. 하지만 그분의 잘잘못을 따지지는 않으렵니다.' '당신까지 쏘려고 하다니!' 내가 소리치며 물었지. '무엇 때문이었소?' '집 근처 마을의 추장에게 얻은 약간의 상아가 내게 있었기 때문이죠. 나는 그 주민들을 위해 짐승을 사냥해 주곤 했거든요. 그런데 그분이 그 상아를 가지고 싶어 한 거예요. 내가 사리를 따져도 그분은 들으려 하지 않았습니다. 그분은 나에게 상아를 내놓고 당장 그 고장을 떠나지 않으면 나를 쏘아 죽이겠다고 선언했어요. 그분은 능히 그런 짓을 할 분이었고 그런 일을 하고 싶어 했죠. 그분은 죽이고 싶은 사람을 누구나 죽일 수 있었고 그걸 말릴 도리가 없었지요. 그건 사실입니다. 그래서 나는 그분에게 상아를 주었지요. 그까짓 상아야 어떻게 되든 상관없지요. 그러나 그 고장을 떠나지는 않았어요. 그럼요. 그분을 버리고 떠날 수 없었던 거예요. 물론 다시 친해질 때까지 얼마 동안 조심해야 했죠. 그때 그분은 두 번째로 병에 걸려 있었거든요. 병이 나은 후에는 내가 그분 앞을 떠나야 했죠. 그러나 나는 그걸 개의치 않았어요. 그분은 대부분 호숫가에 있는 마을에서 살았어요. 그분이 강으로 내려올 때면 더러 나에게 다정하게 대하기도 했고 더러는 내가 조심하는 게 좋을 때도 있었어요. 그분은 너무 많은 고통을 겪었지요. 그래서 그 모든 것을 싫어했어요. 그런데도 무슨 이유에서인지 떠날 수 없었던 거예요. 나는 기회를 엿보아 그분에게 너무 늦기 전에 그곳을 떠나라고 간청해 보기도 했어요. 함께 떠나겠다는 제의도 했죠. 그럴 때면 그분은 그러겠다고 말했지만 계속 남아 있는 거예요. 또다시 상아 사냥을 하러 나선 후 몇 주일 동안은 보이지 않곤 했죠. 그는 이곳 원주민들 사이에서 자기 자신을 잊고 있었던 거예요. 아시겠어요?' '그렇다면 그 사람은 미쳤군요!' 내가 말했지. 그가 화를 내며 항의하더군. 커츠 씨가 미쳤을 리는 만무하다는 거였어. 이틀 전에 커츠가 말하는 것을 들었던들 감히 미쳤다는 말을 하지 못했을 거라고도 했어……. 나는 그와 이야기를 주고받으면서 망원경을 들고 양쪽 강변에서 숲이 끝나는 곳을 훑어보거나 집 뒤쪽을 바라보고 있었어. 그처럼 고요하고 말없는 숲속에, 그 언덕 위의 폐가(廢家)만큼이나 말없이 고요한 숲속에 사람들이 숨어 있을 거라고 생각하니 불안해지더군. 그 놀라운 이야기는 나에게 직접 서술되었다기보다 오히려 외침 끝의 그 오불관언하는 태도, 자주 끊이곤 하던 말 그리고 깊은 한숨으로 끝나는 암시 등으로 넌지시 비쳤을 뿐 그 표면에는 아무것도 구체적으로 드러나지 않았어. 숲은 하나의 가면처럼 표정 변화가 없었고 닫혀 있는 감옥의 문처럼 무거웠는데, 무언가 알면서도 숨기고 있거나 무언가를 참을성 있게 기다리거나 어떤 접근도 허용하지 않으며 침묵하는 듯한 모습이었어. 그 러시아인은 커츠가 호수 지방에 사는 부족의 전투원들을 모두 거느리고 강가로 내려온 것이 극히 최근의 일이었다고 말해 주었어. 그는 여러 달 동안 보이지 않았는데 그간 아마 원주민들에게 숭앙받고 있었을 거래. 그러다가 그는 난데없이 강으로 내려왔는데 아무리 보아도 그가 강 건너나 강 하류 지역을 공략하려고 하는 것 같더라는 거야. 더 많은 상아를 획득해야겠다는 욕망이, 뭐라고 할까, 좀 덜 물질적인 희망을 압도했던 것이 분명했어. 그러나 갑자기 그의 병세가 악화되었대. '그가 아무 도움도 받지 못하고 누워 있다는 소식을 듣고 내가 찾아가 병구완을 해 보았지요.' 러시아인이 말했어. '아, 그분은 병세가 위중합니다. 아주 위중해요.' 그때 나는 망원경으로 집 쪽을 보았어. 그곳에는 사람이 살고 있는 흔적이 없었는데 허물어진 지붕이 보였고 풀위로 내민 기다란 진흙 벽에는 작은 네모꼴 창이 세 개 있었지만 크기가 각각 달랐어. 그 모든 것이 망원경을 통해 내 손에 닿을 듯이 가깝게 보였지. 그때 내가 몸을 휙 돌리자 가로장이 없어진 채 남아 있던 울타리 기둥들 중 하나가 망원경의 시야 속으로 껑충 들어오더군. 앞서 그 기둥들을 장식하려는 모종의 시도가 있는 것을 먼 곳에서 보고 내가 놀랐고 그 폐허 같은 곳에서는 그런 시도 자체가 아주 주목받을 만하다고 말했던 걸 자네들은 기억하겠지? 이제 갑자기 그 기둥을 더욱 가까이 볼 수 있게 되었고 그 결과 나는 마치 어떤 타격을 피하려는 듯이 머리를 뒤로 젖히고 말았네. 나는 망원경으로 기둥을 하나씩 조심스럽게 살펴본 결과 처음에 내가 잘못 생각했음을 알게 되었어. 그 둥근 덩어리들은 장식적인 것들이 아니고 상징적인 것들이었어. 그것들은 무언가를 표현하고 있어서 날 당혹게 하고 충격적으로 마음을 산란케 하는가 하면 여러 생각을 하게 했고, 하늘에서 독수리가 그곳을 내려다보았다면 먹이감이 될 만한 것이었거든. 하여간 그 기둥을 오르내릴 만큼 부지런한 개미들이라면 거기서 먹이를 구할 수 있었을 거야. 그 말뚝 위에 놓인 얼굴들이 집 쪽을 향하고 있지 않았다면 더 충격적인 인상을 주었을 거야. 그중 하나만 내 쪽을 향하고 있었는데 그건 내가 처음 분간해 낸 것이었어. 나는 자네들이 지금 생각하는 것만큼 충격을 받지는 않았어. 내가 머리를 뒤로 젖힌 것은 사실 놀라서 그런 것에 불과했던 거야. 애당초 나는 다듬은 나무 덩어리를 보게 될 거라 기대했거든. 처음 본 그 얼굴 쪽으로 일삼아 망원경을 돌려 보았어. 그 말뚝 위의 검은 얼굴은 눈을 감은 채 말라서 오그라들었고 마치 그 기둥 꼭대기에서 잠이 든 것처럼 보이더군. 입술은 말라서 줄어든 채 하얀 이를 좁게 드러내며 미소까지 짓고 있었는데 마치 영원한 잠 속에서 한없이 계속되는 즐거운 꿈이라도 꾸고 있는 듯한 미소였어.

나는 여기서 회사의 상거래 비밀을 누설하고 싶지 않아. 사실 나중에 지배인은 커츠 씨의 방법이 그 일대의 상거래를 망쳤다고 했어. 그 점에 대해서 나는 아무 의견도 없어. 다만 그 말뚝 위에 사람의 머리를 얹어 두어도 아무 이익이 되지 못했을 것임을 자네들이 분명히 이해해 주길 바랄 뿐이야. 그 머리들은 커츠 씨가 자기의 여러 욕구를 충족하려다 자제력을 잃었으며 그에게 무엇인가가 결핍되어 있음을 보여 줄 뿐이었지. 그것은 무언가 사소한 것이지만 절박하게 필요해졌을 때 그의 그 화려한 달변에서는 찾아볼 수 없는 무엇이었어. 그가 그 결핍을 알았는지 나로서는 말할 수 없네. 다만 그런 인식이 결국 그를 찾아왔으나 아주 마지막 순간에 찾아왔다고 생각해. 그러나 밀림은 일찌감치 그의 정체를 알아냈고 그 어이없는 침략에 대해 그에게 끔찍한 보복을 하고 있었던 거야. 밀림이 그가 자신에 대해 알지 못하던 것들을 속삭여 주었으리라 생각해. 그는 그 엄청난 고독과 사귀게 될 때까지 그런 것들이 무엇인지 전혀 알지 못했으므로 그 밀림의 속삭임은 그에게 거역하기 어려울 정도로 매혹적이었을 거야. 그는 속이 텅 빈 인간이었기 때문에 그 속삭임이 그의 내부에서 요란하게 울릴 수 있었거든……. 내가 망원경을 내려놓자 나와 말을 나눌 수 있을 정도로 가까워 보이던 머리가 이제 접근할 수 없을 만큼 먼 곳으로 껑충 물러서는 듯했어.

그 커츠 씨 찬양자는 약간 풀이 죽어 있었어. 그는 황급히 희미한 목소리로 자기로서는 그 상징물이라고 할 수 있는 것들을 감히 치우지 못했다고 하더군. 원주민들을 무서워했기 때문은 아니라고 했어. 커츠 씨가 명령을 내리지 않는 한 원주민들은 꼼짝도 하지 않았다는 거야. 원주민들에 대한 커츠의 지배적 우위는 상상하기 어려울 지경이었대. 원주민들의 숙영지가 그곳을 둘러싸고 있었고 추장들이 매일 그를 만나기 위해 찾아왔다는 거야. 추장들이 그의 앞에서는 기어 다니다시피 했나 봐……. '원주민들이 커츠 씨에게 접근할 때의 의식 절차에 대해서는 아무것도 알고 싶지 않아요.' 내가 소리쳤지. 참으로 이상한 일이었지만 그따위 세부 사항이 커츠 씨의 창 아래에서 말뚝 위에 놓인 채 말라 가던 사람의 머리보다도 더 견디기 어렵다는 느낌이 엄습해 왔던 거야. 아무튼 그 말뚝 위의 머리야 야만적인 광경에 불과했지만 나는 마치 아무 빛도 들지 않는 오묘한 공포 지대로 덤벙 뛰어든 듯한 느낌이었어. 그런 곳에서는 순수하고 단순한 야만적 풍습도 햇빛 속에서 버젓이 존재할 권리를 지닌 무엇이어서 일종의 긍정적 구원이 될 수도 있었을 테지. 그 젊은이는 놀랐다는 듯이 나를 바라보더군. 지금 생각해 보니 커츠 씨가 내게는 우상이 될 수 없다는 생각이 그에게 떠오르지 않았던 거야. 애정이니 정의니 삶의 영위니 하는 화제를 놓고 커츠 씨가 펼친 그 멋진 독백들을 내가 아직 하나도 듣지 못했다는 사실을 그 젊은이는 잊고 있었던 거야. 커츠 씨 앞에서 기어 다니기로 말하자면, 그 젊은이 또한 가장 야만적인 원주민들만큼이나 기고 있었던 거야. 그는 내가 그곳 상황을 전혀 모른다며 그 말뚝 위의 머리들은 커츠에게 반항한 자들의 머리라고 했어. 내가 웃으니까 그는 몹시 충격을 받았어. 반항자들이라니! 그다음으로 내가 또 무슨 말을 듣게 되어 있었을까? 그간 적이니 죄인이니 일꾼이니 하는 말은 들은 적이 있지만 이제는 반항자라는 소리까지 듣게 되었으니 말이네. 내가 보기에 그 말뚝에 꽂힌 반항자들의 머리는 완전히 진압되어 있었어. '이런 삶이 커츠 씨 같은 분에게 얼마나 큰 시련일지 선장께선 아마 모르실 겁니다.' 커츠의 마지막 제자가 소리치더군. '그런데 당신에게는요?' 내가 물었지. '나요? 나야 단순한 사람이지요. 내게는 아무 위대한 사상도 없어요. 사람들로부터 아무것도 빼앗고 싶어 하지도 않고요. 어떻게 나 같은 사람을 그분하고 비교하실 수⋯⋯?' 그는 복받치는 감정 때문에 말문이 막혀 갑자기 소침해지더군. '나도 모르겠어요.' 그가 신음 소리를 내듯 말했어. '그간 나는 그분을 살리려고 최선을 다해 왔고 그것도 나에겐 벅찼어요. 나는 상관없어요. 아무 능력도 없고요. 게다가 이미 여러 달 동안 이곳에서는 약을 한 방울도 얻을 수 없었고 환자용 음식도 전혀 구할 수 없었답니다. 그래서 부끄러운 일이지만 우리는 그분을 내팽개치고 있었던 셈이에요. 그처럼 굉장한 이념을 갖춘 분을, 글쎄, 부끄러운 줄도 모르고, 부끄러운 줄도 모르고! 나는 지난 열흘간 밤에 잠도 자지 못했다고요⋯⋯.'

그의 목소리가 저녁의 정적 속으로 잦아들더군. 우리가 이야기하는 사이에 숲의 기다란 그늘이 언덕을 미끄러지듯 내려와서는 폐허가 된 오두막과 한 줄의 상징적 말뚝을 넘어 멀리 뻗어 나갔어. 우리가 강가에서 아직 햇빛을 받고 있는 동안 그 모든 것들은 어둠에 잠기고 있었던 거야. 그리고 그 빈터와 나란히 뻗어 있던 강은 눈부시게 화려한 햇빛 속에서 고요히 번쩍였지만 그 아래위의 만곡부는 어느새 어둑한 그늘에 잠겨 있었어. 강가에서 사람의 모습을 찾아볼 수 없었고 관목 숲은 살랑이는 소리조차 내지 않더군.

갑자기 한 무리의 사람들이 마치 땅속에서 솟은 것처럼 집 모퉁이를 돌아 나타나더군. 그들은 가까이 붙은 채 급조된 들 것 하나를 들고 허리까지 자란 풀을 헤치며 오고 있었어. 그 순간 그 텅 빈 풍경 속에서 외마디 울부짖음이 들려왔는데 그 귀를 찢을 듯한 소리는 대지의 심장을 향해 똑바로 날아가 는 예리한 화살처럼 고요한 허공을 뚫었지. 그러자 마술에 홀 린 듯한 사람들이, 그것도 벌거벗은 사람들이, 손에 든 창과 활과 방패로 무장한 채 사나운 눈초리에 야만적 몸짓을 하며 나타나더니 어두운 표정으로 생각에 잠겨 있는 듯한 숲 가장 자리의 빈터로 물밀듯이 쏟아져 들어왔어. 한동안 숲이 흔들 리고 풀이 나부꼈지만 이내 모든 것이 긴장한 부동 자세로 가 만히 있더군.

'이제 저분께서 저들에게 적절한 지시를 내리지 않는다면 우리는 끝장납니다.' 내 옆에 서 있던 러시아인이 말했어. 들 것을 든 사람들도 기선으로 내려오던 도중에 마치 바위로 변 한 것처럼 멈춰 서더군. 들것에 누운 사내가 깡마른 몸으로 일 어나 앉더니 들것을 든 사람들의 어깨 위로 팔을 치켜들더군. '사랑이라는 문제 전반에 대해 그처럼 훌륭한 의견을 개진하 던 분이니까 이번에도 우리의 목숨을 구해 줄 특별한 구실을 찾아내길 바라야지요.' 내가 말했지. 나는 우리의 운명이 그 포악한 유령 같은 녀석의 손에 달려 있는 것이 수치스럽지만 피할 수 없는 일이라 여겼는데 우리가 처한 상황이 황당하게 위험하다는 사실에 몹시 속이 상하더군. 내 귀에는 아무 소리도 들리지 않았지만 망원경으로 보니 그의 가느다란 팔은 명령을 내리듯이 뻗어 있었고 아래턱이 움직이는가 하면 경련이 난 듯 기괴하게 끄덕이던 뼈만 남은 머리에 우묵히 박힌 유령 같은 두 눈은 침통히 반짝이고 있었어. 커츠, 커츠라면 독일어로는 '짧다'라는 뜻[23]이 아닌가? 그러니 그 이름은 그의 삶과 죽음 속의 다른 모든 것만큼이나 맞지 않는 이름이었어. 그의 몸은 길이가 적어도 7피트는 되어 보였다고. 그를 덮고 있던 천이 벗겨지니까 그의 몸이 수의(壽衣)를 벗어 버린 시신처럼 드러나 연민과 무서움을 자아내더군. 나는 그의 흉곽에서 갈비뼈들이 온통 떨리고 뼈만 남은 팔이 허공을 휘젓는 것을 볼 수 있었어. 그건 마치 낡은 상아로 빚은 죽음의 조상(彫像)이 생명을 얻은 후에 검은색의 번쩍이는 청동으로 만들어진 부동 자세의 군중을 향해 위협적으로 손을 흔드는 것 같더군. 나는 그가 입을 크게 벌리는 것을 보았는데 마치 자기 앞에 있는 모든 공기, 모든 땅, 모든 사람들을 삼키려는 듯 무섭게 탐욕스러운 모습이었어. 깊은 목소리가 희미하게 들리더군. 그는 고함을 지르고 있음에 틀림없었어. 그가 갑자기 뒤로 눕더군. 들것을 든 사람들이 비틀거리며 다시 앞으로 나아가자 들것은 흔들렸어. 서의 동시에 나는 그 야만인 무리가 이렇다 할 후퇴 태세를 보이지도 않고 사라지는 것을 볼 수 있었네. 그건

---

23) Kurtz라는 이름은 '짧다'라는 뜻의 독일어 형용사 kurz를 연상시킨다.

마치 그들을 갑자기 토해 낸 숲이 이제는 길게 숨을 들이마시듯이 그들을 다시 끌어들이는 것 같았어.

들것 뒤에 따라오던 백인 몇 사람이 그의 무기를 옮기고 있었어. 엽총 두 자루, 중소총(重小銃) 한 자루 그리고 리볼버형 경(輕) 카빈 한 자루였는데 그게 모두 지금은 가엾은 유피테르[24]꼴로 전락한 커츠가 한때 휘두르던 벼락같이 무서운 무기였지. 커츠 옆에서 걷던 지배인은 그의 머리를 굽어보며 뭐라고 중얼대고 있었어. 사람들은 그를 작은 선실 중 하나에 뉘었는데 그곳은 침대 하나와 야영용 의자 두어 개를 놓을 공간밖에 되지 않았지. 우리가 뒤늦게나마 그의 우편물을 전했기 때문에 그의 침대에는 찢어진 봉투와 개봉된 편지들이 가득 널려 있더군. 그의 손이 맥없이 편지 사이를 헤매는 듯했어. 그 불타는 듯한 눈과 차분하고 나른한 표정에 나는 놀라지 않을 수 없었지. 그건 질병으로 인해 탈진한 모습이 아니었거든. 그가 고통스러워하는 것 같지는 않았으니까. 그 허깨비 같은 몰골은 마치 그 순간 모든 감정을 만끽한 것처럼 흡족하고 편안한 표정이었어.

그는 편지 한 장을 들고 바스락 소리를 내더니 내 얼굴을 똑바로 바라보면서 '반갑습니다.'라고 말하더군. 누군가가 그에게 편지를 쓰면서 나를 언급했던 모양이야. 나를 위해 썼다는 그 특별 추천서가 들먹여진 듯했어. 입술도 움직이지 않

---

24) 로마 신화의 주신(主神, Jupiter)으로 벼락을 무기로 사용했다고 전해진다.

을 정도로 힘들이지 않고 내뱉은 목소리가 어쩌나 굵직하던지 나는 놀라지 않을 수 없었지. 그 목소리! 목소리! 그는 속삭이는 소리조차 내지 못할 것처럼 보였지만 목소리만은 무겁고 깊고 진동했어. 그러나 그에게는, 억지로 마음만 먹는다면, 우리 모두를 끝장낼 만한 충분한 힘이 여전히 남아 있었던 거야. 그 이야기는 곧 자네들에게 들려주겠네.

지배인이 말없이 문간에 나타나더군. 나는 곧 밖으로 나갔고 그가 내 등 뒤로 커튼을 끌어당겼어. 러시아인은 백인들의 호기심 어린 눈초리를 받으며 강변을 응시하고 있었고 나도 그가 보는 쪽을 바라보았지.

멀리 침침한 숲 가장자리를 배경으로 검은 인간들의 형상이 날쌔게 움직이는 모습이 희미하게 눈에 들어왔어. 강 근처에서는 피부가 청동빛인 두 원주민이 높다란 창(槍)에 기댄 채 햇빛을 받으며 서 있었는데 얼룩무늬 모피로 만든 환상적인 모자를 쓴 모습이 호전적으로 보이기는 했으나 조상(彫像)처럼 가만히 서 있더군. 그리고 빛이 든 강변 오른쪽에서 왼쪽으로 한 여인이 야성의 화려한 망령처럼 오락가락하고 있었어.

그녀는 가장자리가 술로 장식된 줄무늬 천을 몸에 두른 채 오만한 자세로 땅을 딛고 서서 자로 잰 듯 걷고 있었는데 야만적 장신구들이 조금씩 짤랑거리며 번쩍이더군. 그녀는 머리를 높이 쳐들고 있었어. 머리카락은 헬멧 모양으로 손질되어 있고 무릎까지 놋쇠 각반(脚絆)을 두르고 팔꿈치까지 놋쇠 철사로 손목 가리개 장식을 하고 있었지. 황갈색 뺨에는 진홍색 점이 하나 찍혀 있고 목에는 유리구슬로 만든 목걸이가 무수히 걸려 있었어. 그녀가 걸음을 옮길 때마다 몸에서는 무당들이 준 부적 같은 괴상한 물체들이 몸에서 반짝반짝 떨리더군. 그녀는 상아 몇 개를 주고야 살 수 있을 만큼 많은 물건을 몸에 지니고 있음이 분명했어. 또 그녀는 야만적이면서도 의젓했고 야성적인 눈을 하고 있으면서도 화사했지. 그녀의 신중한 걸음걸이에는 어딘가 불길하면서도 당당한 데가 있더군. 그리고 슬픔에 잠긴 대지에 갑자기 내린 정적 속에서 다산적(多産的)이면서 신비로운 엄청난 생명 덩어리인 그 거대한 밀림은 생각에 잠긴 채 마치 그 자체의 어둡고 열정적인 영혼을 반영하는 이미지라도 바라보듯 그녀를 바라보는 듯했어.

그녀는 기선과 평행을 이루는 지점에 이르러 가만히 서서 우리와 마주하더군. 그녀의 기다란 그림자가 물가에 떨어지고 있었어. 그녀의 얼굴에는 야성적 슬픔과 말없이 아픔을 드러내는 비극적이고 치열한 표정이 나타나 있었는데 어떤 안간힘 하는 무형의 결심이 드러내는 두려움이 섞여 있었어. 그녀는 꼼짝하지 않고 서서 우리를 바라봤는데 어떤 헤아릴 수 없는 목적을 두고 심사숙고하는 듯한 모습이 밀림 그 자체 같았어. 꼬박 일 분쯤 지난 후에 그녀는 앞으로 한 걸음 내딛더군. 노란 금속이 짤랑거리는 소리를 내면서 번쩍였고 가장자리에 술이 장식된 천이 펄럭인 뒤에 그녀는 마치 낙담한 듯이 멈춰 서고 말더군. 내 옆에 서 있던 젊은 녀석이 으르렁거렸고 등 뒤에서는 백인들이 뭐라고 중얼댔어. 그녀는 마치 굽힘 없이 꿋꿋한 자기 눈초리에 목숨이 달려 있는 듯이 우리 모두를 바라보더군. 갑자기 그녀는 맨살이 드러난 두 팔을 펼치더니 마치 하늘을 건드리겠다는 욕구를 억제할 수 없다는 듯이 머리 위로 꼿꼿이 치켜들었어. 그때 날쌘 그림자들이 대지 위로 나타나 강물을 휩쓸더니 허깨비가 포옹하듯 기선을 감싸 안았어. 엄청난 정적이 그 장면을 덮고 있었지.

그녀는 천천히 돌아서서 강둑을 따라 걸어 왼쪽 숲속으로 들어가 버리더군. 그녀가 사라지기 전에 숲의 어두운 그늘 속에서 그녀의 눈이 우리 쪽으로 딱 한 번 반짝했을 뿐이야.

'만약 저 여자가 배 위로 올라오려고 했다면 나는 총을 쏘려고 했을 겁니다.' 얼룩빼기 사내가 겁을 먹은 듯이 말하더군. '나는 지난 보름 동안 그녀가 집에 들어오지 못하게 하느라 날마다 목숨을 걸다시피 싸워야 했거든요. 어느 날 집으로 들어온 그녀는 내가 옷을 깁는 데 쓰려고 창고에서 가져온 보잘것없는 헝겊들 때문에 한바탕 소동을 벌였지요. 나라는 사람이 점잖지 못하다는 거예요. 그녀가 한 시간 동안이나 미친 듯이 커츠에게 이야기하면서 이따금 내 쪽을 가리킨 것으로 보아 적어도 나에 대해 그런 말을 하고 있음이 분명했어요. 나는 그녀가 속한 부족의 방언을 알아듣지 못해요. 다행히 그날 커츠는 너무 몸이 아파 그녀의 말을 귀담아듣지 않았지요. 그렇지 않았던들 큰일이 났을 겁니다. 이해되지 않아요…… 이해가 안 된다고요. 내 이해력을 넘어서는 일이니까요. 아. 하지만 이제는 그것도 모두 지나간 일이네요.'

바로 그 순간에 커튼 뒤에서 커츠의 깊은 목소리가 들려왔어. '나를 구하겠다고? 상아를 구하려는 거겠지. 말도 말라고! 나를 구하겠다니! 내가 당신들을 구해야 했는걸. 당신들은 지금 내 계획을 방해하고 있어. 내가 아프지 않느냐고! 아프다니! 당신들이 생각하는 것만큼은 아프지 않아. 그러니 걱정 말라니까. 나는 아직도 내 이념을 실현하려고 해. 돌아올 거야. 내가 무슨 일을 할 수 있는지 보여 줄 거란 말이야. 당신들은 하찮은 생각이나 하며 날 방해하고 있어. 나는 돌아올 거야. 나는……'

지배인이 밖으로 나왔어. 그가 황송하게도 내 겨드랑이에 팔을 끼고 나를 옆으로 인도하더군. '저 사람은 아주 쇠잔했네요. 아주 쇠잔했어요.' 그가 말했어. 그는 한숨을 지을 필요가 있다고 여겼겠지만 그런 기분에 걸맞게 슬픈 시늉을 하지는 않았어. '우리가 저 사람을 위해 할 수 있는 일은 다 했잖습니까? 하지만 한 가지 사실만은 숨길 수 없네요. 커츠 씨는 회사에 이익을 준 것보다 더 많은 손해를 끼쳤어요. 그는 대담한 조처를 취할 시기가 아직 성숙하지 않았다는 걸 몰랐어요. 조심스럽게, 조심스럽게 한다는 것, 그게 내 원칙이에요. 우리는 아직도 조심해야 합니다. 이 지역은 당분간 우리에게 폐쇄되었거든요. 개탄할 일입니다. 회사의 거래가 대체로 타격을 입을 겁니다. 이 지역에 주목할 만한 양의 상아가 있다는 걸 부인하지는 않아요. 대부분 땅에서 캐낸 화석이지요. 우리는 무슨 일이 있어도 그 상아를 건져 내야 하지요. 하지만 우리의 상황이 얼마나 위태로운지 좀 보세요. 그런데 왜 이렇게 되었지요? 그의 방법이 건전치 않기 때문이랍니다.' '지배인께서는 그걸 "건전치 않은 방법"이라고 부르십니까?' 내가 강가를 바라보며 물었지. 그러자 그는 열띤 어조로 '의심할 여지가 없어요.'라고 소리지르더군. '혹시 선장께서는……?' 조금 뒤에 나는 '도대체 방법도 아니겠지요.'라고 중얼거렸어. '바로 그겁니다.' 그가 기고만장하게 말하더군. '나는 이렇게 될 줄 알았어요. 전적인 판단력 결여를 보여 주니까요. 이걸 관계 부서에 지적해 주는 것이 내 임무지요.' '아, 그렇다면 말이에요. 그 친구의 이름이 뭐더라, 그 벽돌 제조공이라는 친구가 지배인을 위해 그럴듯한 보고서를 작성해 주겠군요.' 내가 말했지. 한순간 그는 당황하는 눈치였어. 나는 일찍이 그처럼 간악한 분위기를 숨 쉰 적이 없는 것처럼 느껴지더군. 그래서 나는 정신적 구원을 찾아, 아주 구원을 찾겠다고 작정하고 커츠 쪽을 향했어. '그럼에도 불구하고 나는 커츠 씨가 주목할 만한 인물이라고 생각합니다.' 내가 힘주어 말했어. 놀란 나머지 그가 내 쪽으로 쌀쌀맞게 무거운 눈길을 던지더니 아주 조용히 말했어. '과거에는 그랬지요.' 그러고는 나에게 등을 돌리더군. 내가 그의 호의를 누릴 수 있는 시간은 그렇게 끝났던 거야. 나는 아직 시기가 성숙하지 않았다는 건전치 않은 방법을 편들다가 그만 커츠와 한 무리로 몰리게 되었음을 알았어. 내가 건전치 않다는 거야! 아, 하지만 적어도 내가 선택한 악몽이니 그 악몽은 꾸어 볼 만하지 않을까.

나는 커츠 씨를 향했던 게 아니고 사실 밀림 쪽을 향했던 거야. 커츠 씨는 이미 죽어서 묻힌 사람이나 다름없다는 것을 나는 인정하고 있었거든. 그리고 한동안 나 역시 말 못 할 비밀로 가득한 넓은 무덤에 묻혀 있는 것 같은 느낌이었어. 나는 축축이 젖은 대지의 냄새, 눈에 보이지 않으나 기고만장하게 실재하는 부패 그리고 도저히 뚫고 들어갈 수 없는 밤의 어둠 등 견딜 수 없는 것들이 무겁게 내 가슴을 짓누르는 것을 느꼈어. 러시아인이 내 어깨를 두드리더군. 그는 '커츠 씨의 명성을 해칠 만한 사실들을 알고 있는데 동료 선원으로서 감추기 어렵'다며 더듬더듬 중얼거렸어. 나는 잠자코 있었지. 그가 보기에는 커츠 씨가 아직 무덤에 있지 않음이 분명했던 거야. 그에게는 커츠 씨가 불멸의 신 같은 존재가 아니었나 싶어. 드디어 내가 말했지. '그렇다면 솔직히 말해 보시오. 사실 어떤 의미에서는 내가 커츠 씨의 친구나 다름없으니까.'

그는 상당한 격식을 갖춰 말문을 열더니 만약 우리가 '같은 업종'에 종사하지 않았다면 자기가 그 문제를 혼자만 아는 비밀로 삼고 그 결과야 어떻게 되든 상관치 않을 거라고 했어. 그는 또 그 백인들이 자기에게 심한 악의를 품고 있지 않나 싶다고 하더군. '잘 보셨소.' 나는 전에 백인들이 주고받은 대화를 엿들은 것을 상기하면서 말했지. '지배인은 당신이 교수형감이라고 생각하니까요.' 그가 그 정보를 듣고 두려워하는 꼴이 재미있더군. '내가 조용히 그들 앞에서 사라지는 것이 좋겠군요.' 그가 진지한 어조로 말했어. '이제 커츠에게는 내가 더이상 쓸모없습니다. 게다가 그들이 곧 무슨 핑계건 찾아내 나를 해치려 하겠지요. 그들을 말릴 도리가 없잖아요? 이곳에서 300마일 떨어진 곳에 군 주둔지가 한 곳 있어요.' '정말이지 근처 야만인들 사이에 친구라도 있거든 떠나는 것이 좋겠소.' 내가 말했지. '친구야 많지요. 원주민들은 순박한 데다 내가 그들에게서 아무것도 얻어 내려고 하지 않으니까요.' 그가 대답하더군. 그러고 나서 그는 입술을 물고 서 있더군. '나는 이 백인들이 피해 입는 걸 원하지 않는답니다. 하지만 커츠 씨의 명성이야 물론 생각하지요. 선장께선 동료 선원이시고, 게다가……'. '좋소.' 조금 뒤에 내가 말했어. '커츠 씨의 명성을 내게 맡긴다면 안전할 거요.' 그렇게 말하면서도 내 말이 얼마나 진심인지 나 자신도 모르겠더군.

그가 목소리를 낮추어 기선 공격을 명한 사람이 바로 커츠였다는 것을 알려 주더군. '이따금 그분은 하류 지방으로 후송된다는 생각을 몹시 싫어했습니다. 그러고는 또…… 하지만 나에게는 이런 문제가 이해되지 않아요. 나는 단순한 사람이거든요. 그분은 기선을 공격하면 당신네가 겁을 먹고 도망갈 테고 그분이 죽었을 거라 여기며 포기할 거라고 여겼답니다. 내가 그 명령을 말릴 수는 없었어요. 아, 지난 한 달 동안 나는 참으로 혼이 났습니다.' '좋소. 이제 그는 괜찮을 테니까.' 내가 말했지. 그는 '그렇……겠죠.'라고 중얼댔지만 확신이 전혀 없음이 분명했어. '고맙소. 내가 계속 지켜보겠소.' 내가 말했지. '하지만 가만히 계실 거죠? 만약 이곳에서 누가 알게 된다면 그분의 명성은 크게 손상될 테니까요.' 그가 근심스럽다는 듯이 내게 다짐을 촉구하더군. 나는 아주 무거운 어조로 철저히 조심하겠다고 약속했지. '그리 멀지 않은 곳에 카누 한 척과 검둥이 세 녀석을 대기시켜 놓았습니다. 이세 떠나렵니다. 마티니 헨리 소총의 탄창 좀 나누어 주실 수 있는지요?' 내게 여유분이 있었기에 아무도 모르게 조심해서 그에게 탄창을 나눠 주었지. 그는 내 담배도 한 움큼 챙기면서 윙크를 해 보이더군. '선원들끼리는 좋은 영국 담배 맛을 높이 치지요.' 조타실 문간에서 그가 돌아서더니 '구두 한 켤레쯤 여유가 있는지요?'라고 말했어. 그가 한쪽 다리를 들고 '이것 좀 보세요.' 하더군. 구두 밑창이 매듭지은 노끈으로 맨발에 샌들처럼 묶여 있었어. 내가 헌 신을 한 켤레 끄집어내니까 그는 감탄 어린 눈으로 그걸 살펴본 후 왼쪽 겨드랑이에 끼우더군. 밝은 적색 천을 붙여 만든 한쪽 주머니는 탄창으로 불거져 있었고 암청색 천을 붙인 주머니에서는 타우슨의 탐구서 등이 삐져나와 있었어. 그는 이제 자기가 새로운 기분으로 밀림과 맞설 수 있을 만큼 훌륭한 장비를 갖추게 되었다고 생각하는 듯했어. '아! 이제 나는 영영 그분 같은 사람을 다시는 만나지 못할 겁니다. 그분이 시를 낭송하는 걸 들어 보셨더라면 좋았을 텐데. 그분이 직접 쓴 시라고 했습니다. 글쎄, 시까지 쓰신다니까요!' 그는 눈알을 굴리며 즐거웠던 일들을 회상하더니 말했어. '아, 그분은 내 생각을 넓혀 주셨죠!' '잘 가십시오.' 내가 말했지. 그는 악수를 청한 후 어두운 밤 속으로 사라지더군. 이따금 나는 실제로 내가 그를 만난 적이 있었던가, 또 그렇게 별난 인간을 만난다는 것이 대체 가능하기나 할까 혼자 궁금해하곤 한다네……

자정이 조금 지나 잠이 깼을 때 위험을 암시하던 그의 경고가 생각나더군. 별이 총총한 밤이라 그런지 그 암시가 너무 실감나서 나는 일어나 주변을 한번 둘러보지 않을 수 없었지. 언덕 위에서는 커다란 불길이 타오르며 주재소 건물의 구부러진 모퉁이를 요란하게 비추고 있더군. 회사 직원 중 한 사람이 무장한 검둥이 감시원을 몇 명 데리고 상아를 지키고 있었어. 그러나 숲속 깊은 곳에서는 땅에서 솟았다 가라앉았다 하는 듯한 붉은 빛들이 시커먼 기둥처럼 어지럽게 서 있는 나무들 사이로 일렁이고 있었는데 그 빛은 커츠를 숭앙하는 원주민들이 불안하게 밤을 새우고 있는 숙영지의 정확한 위치가 어딘지 말해 주었지. 커다란 북이 울리는 단조로운 고동 소리로 인해 허공은 무엇으로 감싼 듯한 충격과 지속적인 진동으로 가득했어. 검고 평평한 벽처럼 둘러선 숲에서 혼잣말로 음산한 주문을 외우는 많은 사람들의 끈질긴 저음이 벌집에서 번져 오는 벌들의 붕붕거림처럼 들려와 아직 잠이 덜 깬 나의 감각에 마약같이 묘한 영향을 끼치더군. 지금 생각하니 내가 갑판 난간에 기대 깜박 잠이 들었던가 봐. 정체불명의 광기가 갇혀 있던 상태에서 엄청난 힘으로 폭발하는 듯한 함성이 갑자기 터지는 통에 잠이 달아난 나는 영문을 몰라 어리둥절해했어. 그 고함 소리는 짧게 끝났고 나직한 저음이 계속되었는데 들어 보니 귀에 달래는 듯 들리는 정적(靜寂) 효과를 자아내고 있었어. 나는 혹시나 하고 그 좁은 선실을 들여다보았지. 방에 불이 밝혀져 있었지만 커츠 씨는 없었어.

만약 그때 내가 눈으로 본 것을 그대로 믿었다면 그 자리에서 소리를 질렀을 거야. 그러나 처음에는 내 눈을 믿지 않았어. 설마 그럴 수 있으랴 싶었거든. 사실 나는 그저 멍하게 겁에 질린 채 온몸에 맥이 풀려 있었지. 그건 어떤 뚜렷한 육체적 위험과 관련 없는 순진히 추상적인 공포였어. 내가 그 공포의 감정에 그토록 압도되었던 것은, 뭐라고 해야 할까, 도덕적 충격 때문이었어. 마치 온통 괴물 같은 무엇이 별안간 나에게 들이닥쳐 내 생각을 견딜 수 없게 하고 내 영혼을 짓누르는 듯했으니까. 물론 그 충격은 순식간에 지나갔고 이내 흔히 볼 수 있는 무서운 위험의 낌새랄까, 갑자기 원주민들이 들이닥쳐 살육을 시작하거나 하는 일을 벌일 것 같은 절박감이 강하게 수용되면서 차분해지더군. 사실 그런 느낌이 한껏 나를 진정시켰기에 내가 소리 질러 경고하지는 않았던 거야.

한 백인 직원이 얼스터 외투를 입고 단추를 채운 채 3피트 떨어진 갑판 위 의자에 누워 자고 있더군. 그 함성도 그의 잠을 깨우지는 못했어. 그가 조용히 코를 골고 있기에 자게 두고 나 혼자 강변으로 뛰어내렸지. 나는 커츠 씨를 배반하지 않았어. 그를 배반하지 말아야 한다는 것은 내 소명(召命)이었고, 비록 악몽일망정 스스로 선택한 악몽에 충실해야 한다고 내 운명에 씌어 있었던 거야. 나는 그 허깨비 같은 사람을 혼자서 상대하고 싶었어. 오늘날까지도 나는 그 체험 특유의 암흑성을 누구와도 공유하고 싶지 않은데 그 이유는 모르겠어.

강둑에 오르자마자 오솔길이 하나 보이더군. 풀밭으로 통하는 널찍한 길이었어. 지금도 기억하지만 나는 그때 '그는 걸을 힘도 없는 사람이니까 네 발로 기어갔겠지. 그러니 그는 붙잡힌 것이나 다름없지 않은가.'라며 자신만만하게 혼잣말을 했어. 풀은 이슬로 젖어 있더군. 나는 주먹을 불끈 쥐고 잰걸음으로 성큼성큼 걸었어. 지금 생각건대 그와 마주치면 실컷 두들겨 주어야겠다고 막연히 마음먹고 있었던 것 같아. 모르겠어. 어쩐지 백치 같은 생각이 들었던 거야. 고양이를 데리고 뜨개질을 하고 있던 노파가 기억에 불쑥 나타났지만, 그녀는 그때 그 일의 다른 편 끝자락에 앉아 있기에 전혀 어울리지 않는 사람이었어. 나는 한 줄로 늘어선 백인들이 허리춤에 윈체스터 소총을 대고 납으로 만든 총알을 허공으로 퍼붓는 것을 마음속으로 그려 보았어. 기선으로 돌아갈 수 없게 된 내가 늙도록 혼자서 아무 무기도 없이 숲속에서 살게 될 것이라는 상상도 해 보았지. 참으로 바보 같은 일들 아니었겠나. 그때 나는 그 북소리를 내 심장 고동과 혼동하면서 그 소리가 조용히 규칙적으로 이어져서 다행이라 여겼어.

나는 계속 오솔길을 따라가다가 걸음을 멈추고 귀를 기울여 보았어. 그날 밤은 하늘이 아주 맑았지. 이슬과 별빛으로 반짝이던 암청색 허공에 시커먼 형상들이 아주 조용히 서 있더군. 그때 나는 내 앞에 무엇인가 움직이는 것이 있다고 생각했어. 그날 밤에는 이상하게 모든 것이 분명하게 여겨지더군. 실제로 내 눈에 무엇이 보였는지는 확실치 않으나 나는 움직이거나 동요하고 있다고 여겨진 그 물체 앞쪽으로 가려고 그 길을 벗어나 넓게 반원을 그리며 달려갔지. 지금 생각하니 그때 나는 낄낄거리고 있었음이 틀림없어. 장난하는 소년처럼 커츠를 앞지르려고 했던 거야.

나는 그와 마주쳤어. 내가 다가오는 소리를 그가 들었으니 망정이지 하마터면 그와 부딪쳐 넘어질 뻔했지. 하지만 그가 때맞춰 일어났던 거야. 그가 일어서니 그 불안정하고 길고 창백하고 희미한 모습은 대지에서 발산되는 수증기 같았고 내 앞에서 안개처럼 말없이 미미하게 흔들리고 있었어. 그때 등 뒤에서 나무둥치 사이로 불빛이 보였고 숲에서 많은 사람들이 웅얼대는 소리도 들렸어. 나는 그의 길을 교묘히 가로질렀지만 정작 그와 맞서자 정신이 번쩍 들더군. 그 상황에 비례하는 위험을 절감했던 거야. 여전히 상황은 끝나지 않았어. 그가 소리를 질렀다고 상상해 봐. 그에게는 서 있을 힘도 없었지만 여전히 꽤 우렁찬 목소리가 남아 있었거든. '저리 가시오. 숨어요.' 그가 그 심오한 목소리로 말하더군. 참으로 끔찍했지. 나는 뒤돌아보았어. 가장 가까운 불이 미처 30야드도 떨어져 있지 않더군. 한 검은 형체가 일어서더니 길고 검은 팔을 내저으며 불빛 앞에서 성큼성큼 걸어 다녔어. 그 녀석은 머리에 뿔을 달고 있었는데 그건 영양(羚羊)의 뿔이었던 것 같아. 무슨 무당이거나 마법사임이 분명했어. 꼴이 악마처럼 보이더라니까. '지금 당신이 무슨 짓을 하고 있는지 아십니까?' 내가 나직한 소리로 물었지. '알다마다요.' 그는 그 한마디를 위해 목청을 높이더군. 그 소리는 마치 멀리서 확성기를 통해 확대되어 들려오는 소리 같았어. 만약 그가 소동을 벌이면 그때는 우리가 끝장이라는 생각이 들더군. 그 방황하며 괴로워하는 인간, 그 그림자 같은 존재를 구타하기는 당연히 싫었지만 그런 혐오감과는 관계없이 어차피 주먹다짐으로 해결할 성질의 일은 아니었어. '이러시면 큰일 납니다. 정말 큰일 난다고요.' 내가 말했지. 이따금 우리는 머릿속에서 섬광처럼 번뜩이는 영감을 얻을 때가 있지 않은가. 그때 그는 이미 아주 돌이킬 수 없을 정도의 상태에 있었지만 나는 그 상황에 맞는 말을 할 수 있었던 거야. 바로 그 순간 우리 둘 사이에는 오래 지속될 친

밀함, 죽는 날까지, 아니 죽은 후에도 영원히 지속될 친밀함의
토대가 놓이고 있었어.

'내게는 거창한 계획들이 있었어요.' 그가 머뭇머뭇 중얼대
더군. '그랬겠지요. 하지만 만약 여기서 소리를 지르신다면 머
리를 후려쳐……'라고 말했지만 근처에 몽둥이나 돌은 보이지
않더군. 그래서 '목을 졸라 버리겠소.'라고 고쳐 말했지. '나는
위대한 사업의 문턱까지 갔었지요.' 그가 하소연하듯 말했는
데 생각에 잠긴 듯한 어조의 동경 어린 목소리에 내 몸의 피
가 얼어붙는 듯했어. '그런데 이 바보 같은 녀석 때문에……'
'유럽에서 당신의 성공은 어떤 경우에나 보장되어 있습니다.'
내가 단호히 말했지. 나는 그의 목을 조르고 싶지 않았고 그
의 목을 졸라 봐야 어떤 현실적 목적에도 소용이 없었을 거
야. 오히려 나는 묵묵히 무겁게 드리운 밀림의 마력(魔力)이나
깨뜨리려고 했어. 그 마력이 그간 잊혀 온 야수적 본능을 일
깨움으로써, 또 그간 충족되어 온 괴물 같은 열정의 기억을 되
살림으로써 그를 밀림의 무자비한 가슴속으로 끌어들이는 듯
했기 때문이야. 오직 그 마력 때문에 그는 숲과 덤불의 가장
자리로 끌려 나와 원주민들이 불을 지펴 놓고 북을 치며 불길
한 주문을 외고 있는 곳으로 가려 했다고 나는 확신했어. 그
리고 오직 그 마력만이 불법을 자행하던 그의 영혼으로 하여
금 인간에게 허용되는 소망의 한계를 넘어서도록 유인했던 거
야. 자네들이 이해할지 모르겠네만 그때 내가 처한 공포는 혹
시 그 자리에서 머리를 타격당하고 죽지나 않을까 하는 두려
움에서 나온 게 아니었어. 물론 그런 위험도 아주 생생하게 절

감하고는 있었지. 오히려 그 공포는 천상천하에 있는 그 무엇의 이름으로 호소한들 아무 소용 없었을 인물을 내가 상대해야 한다는 사실에서 빚어지고 있었어. 검둥이들이 그랬듯이 나도 그에게, 바로 그 자신에게, 그 자신의 기고만장하고 믿기 어려운 타락상을 환기해야 했어. 그에게는 위로나 아래로나 아무것도 없었고 나는 그걸 알았거든. 말하자면 그는 이 세상을 박차고 나온 셈이었지. 망할 녀석 같으니라고! 그는 발길질을 해서 대지를 산산조각 내며 나왔던 셈이야. 그는 혼자였고 그의 앞에서는 내가 땅을 딛고 서 있는지 아니면 허공에 떠 있는지 알 수가 없을 지경이었어. 자네들에게 이 이야기를 하면서 나는 그때 우리가 했던 말을 자자구구 그대로 옮겼지만 그게 무슨 소용일까? 그건 우리가 일상생활에서 사용하는 평범한 말이고 우리가 깨어 있는 동안 주고받는 귀에 익지만 실은 막막한 소리들인데, 그게 어쨌다는 것인가? 내 생각에 그 평범한 말의 이면에는 꿈속에서 들은 말이나 악몽 속에서 발언된 어구들이 지닌 엄청난 암시성이 숨어 있어. 영혼 말이야! 이 세상에서 일찍이 영혼을 상대로 싸운 사람이 있다면, 그건 바로 나야. 그런데 그때 나는 한 미치광이를 상대로 언쟁한 건 아니었어. 자네들이 믿기 어렵겠지만, 그의 이지력은 완벽히 맑았거든. 그 이지력이 놀라울 만큼 치열하게 자기 자신에게 집중되어 있었던 건 사실이지만 그래도 맑기는 했어. 그때 내가 살아남을 수 있는 유일한 가망은 바로 그 점에 있었지. 물론 그 현장에서 그를 죽일 수도 있었겠지만 그러자면 불가피하게 소리가 날 테니 좋은 방안이라 할 수 없었고 따라서 그럴 가능성은 제외해야 했어. 그런데 그의 영혼은 미쳐 있었지. 밀림 속에서 혼자 사는 사이 그의 영혼은 그 자체의 내면을 곰곰이 들여다보게 되었고 그 결과 참으로 딱하게도 그만 미쳐 버렸던 거야. 내가 죄가 많은 탓인지, 나 스스로 그의 영혼을 들여다보는 시련을 겪어야 했어. 그 어떤 달변도 그가 마지막으로 터뜨린 그 진지한 표명만큼 인간에 대한 신념을 위축시키지는 못했을 거야. 그 또한 자기 자신과 싸우고 있었어. 나는 그걸 눈으로 보고 귀로 들었지. 아무 제약이나 신념이나 두려움도 없이 맹목적으로 자신과 싸우던 한 영혼의 불가해한 신비를 나는 보고 있었던 거야. 그러면서도 나는 정신을 놓지 않았어. 그를 침상에 눕히고 나서야 나는 이마에서 땀을 훔쳤는데 마치 반 톤쯤 되는 무거운 짐을 지고 그 언덕길을 내려오기라도 한 것처럼 다리가 후들거리더군. 그런데 사실 피골이 상접한 팔로 내 목을 감은 그를 내가 그저 부축했을 뿐이야. 그의 몸무게는 어린애처럼 가벼웠으니까.

이튿날 정오에 우리가 떠날 때 그간 내가 사뭇 예민하게 의식하고 있던 숲의 장막 뒤 원주민 무리가 다시 빈터로 쏟아져 나왔고, 비탈진 강 언덕은 벌거벗은 채 숨을 쉬며 감정에 복받쳐 떠는 청동색 몸뚱어리들로 뒤덮이게 되었지. 나는 상류 쪽으로 얼마쯤 배를 몰고 올라갔다가 방향을 하류로 돌렸어. 쿵쿵 소리를 내면서 물을 철썩이던 그 사나운 강 귀신 같은 기선이 무서운 꼬리로 물을 차고 허공으로 검은 연기를 뿜으며 움직이는 것을 2000개의 눈이 지켜보고 있더군. 맨 앞줄에 선 사람들 앞에서 머리부터 발끝까지 밝은 적색 흙을 바른 세 사내가 쉬지 않고 강변을 아래위로 활보했어. 우리 배가 다시 그들과 평행을 이루는 곳까지 내려왔을 때 그들은 강 쪽을 향해 발을 동동 구르거나 뿔 장식을 한 머리를 끄덕이거나 진홍색 몸을 흔들더군. 그들은 사나운 강 귀신을 향해 검은 깃털 뭉치와 꼬리가 늘어진 지저분한 가죽 덩어리를 흔들었는데 그건 바짝 마른 바가지처럼 보였어. 그들은 인간의 언어를 전혀 닮지 않은 일련의 경이로운 낱말들을 일정한 간격으로 함께 외치더군. 갑자기 중단되곤 하던 그 군중의 심오한 웅얼거림이 한 마왕(魔王)의 연도(連禱)에 화답하는 소리처럼 들렸어.

우리는 커츠를 통풍이 잘되는 조타실로 옮겼어. 그는 침상에 누워 열린 덧문을 통해 밖을 응시하더군. 강가에 밀집해 있던 인간 몸뚱어리들 사이에 소용돌이가 일더니 머리에 투구 같은 것을 쓰고 뺨이 황갈색인 여인이 물가까지 달려 나오더군. 그녀가 두 손을 쳐들고 뭐라고 고함을 지르니까 야성적인 군중이 그 소리를 받아 뚜렷한 목소리로 빠르고 숨 가쁘게 합창했어.

'당신은 저 소리의 뜻을 아십니까?' 내가 물었지.

그는 나를 거들떠보지도 않고 불타는 듯 그리운 눈으로 계속 밖을 응시했는데 그 표정에 수심과 미움이 섞여 있더군. 그는 아무 대답도 하지 않았어. 그 핏기 없는 입술에 뭐라고 설명하기 어려운 의미를 띤 미소가 감돌기 시작했지만 얼마 후에는 그 입술이 발작적으로 떨리더군. '내가 그 뜻을 모를라고.' 그가 숨이 가쁜 듯 천천히 말했는데 그 말은 어떤 초자연적 힘에 밀려 그의 몸에서 터져 나오는 듯했어.

나는 기적을 울리는 손잡이를 당겼어. 갑판 위에서 백인들이 한바탕 즐거운 장난을 쳐야겠다는 자세로 소총을 끄집어내는 광경이 보였기 때문이지. 기적이 끼익 울리자 빈터에 쐐기 모양으로 박혀 있던 사람들 사이에서 비참한 공포의 동요가 일기 시작하더군. '그러지 마세요. 저자들이 놀라 도망가게 하지 마시라고요.' 누군가가 갑판 위에서 불만스럽다는 듯 소리치더군. 나는 여러 차례 계속 기적을 울렸어. 원주민들은 흩어져 도망갔고 껑충껑충 뛰거나 웅크리거나 비켜서면서 기선에서 날아오는 공포의 소리를 피하려고 날뛰더군. 몸에 붉은 칠을 한 세 사내들은 마치 총에 맞아 죽은 것처럼 강변에 얼굴을 대고 납작 엎드려 있었어. 그 야만적 기세가 등등하던 여인만 몸을 조금도 움츠리지 않고 음산하게 번뜩이던 강물 너머로 우리를 향해 맨살이 드러난 두 팔을 비극적으로 펼치고 있었어.

그때 갑판 위에 있던 그 천치 같은 백인들이 장난으로 총을 쏘기 시작했지만 초연에 가려 아무것도 보이지 않더군."

"암흑의 핵심으로부터 급하게 흘러내리는 갈색 강물이 우리를 바다 쪽으로 싣고 갔는데 상류로 올라갈 때보다 속도가 두 배나 빠르더군. 그런데 커츠의 목숨 또한 그의 심장으로부터 냉혹한 세월의 바다 속으로 썰물처럼 재빨리 빠져 나가고 있었어. 지배인은 아주 평온해 보였고 심각한 걱정거리가 전혀 없었기 때문에 이제는 포용적이고 만족스러운 눈초리로 우리 둘을 싸잡아 바라보고 있었지. 그 '일'이 자기가 바랄 수 있는 방향으로 최대한 원만히 매듭지어졌다는 거야. 나는 내가 그 '건전치 않은 방법'을 쓰는 쪽의 유일한 생존자로 남게될 날이 다가오고 있음을 알았어. 백인들은 못마땅한 눈초리로 나를 바라보더군. 말하자면 그들은 내가 죽은 사람들 속에들어 있다고 여겼던 거야. 야비하고 탐욕스러운 유령 같은 백인들에게 침략받은 이 암흑의 땅에서 어쩌다가 내가 이렇게예기치 못한 제휴와 악몽 같은 선택을 강요받고 받아들이게되었는지 지금 생각하면 참으로 기이하다네.

커츠는 말하고 있었어. 목소리! 목소리였지! 마지막 순간까지도 깊은 울림을 남기는 목소리였어. 그의 기력이 쇠진한 후에도 목소리만은 살아남아 심장 속의 황량한 암흑을 그 화려한 달변의 주름 속에 숨기고 있었던 거야. 아, 그는 기를 쓰고있었어! 기를 쓰고 있었다고! 그의 지쳐 빠진 두뇌의 폐허 속에서는 여러 이미지들이 망령처럼 출몰하고 있었거든. 재산과명예의 이미지들이 그 존귀하고 고매한 언변이라는 탕진되지않는 천부의 재능 주위를 비굴하게 맴돌고 있었어. 그가 이따금 고양된 감정을 토로할 때마다 '내 약혼녀', '내 주재소', '내필생의 과업', '내 이념' 같은 주제가 등장하곤 했어. 속이 텅빈 가짜 커츠의 침상 곁에는 본래의 커츠를 대표하는 망령이자주 나타나곤 했는데 그의 운명은 머지않아 태고의 땅에 묻히는 것이었지. 그의 영혼은 거짓 명성, 헛된 탁월성 및 겉보기에 성공과 권세로 여겨지던 모든 것을 탐하는 원시적 감정에 젖어 있었는데, 이제는 원래의 커츠가 침투해 들어갔던 그불가사의한 세계에 대한 악마적 사랑과 비현세적 증오가 그 영혼을 차지하겠다고 서로 다투고 있었어.

이따금 그는 경멸할 만큼 유치했어. 그가 위대한 사업을 성취하고자 한 그 끔찍한 무명의 땅에서 귀국하는 날 왕들이 그를 맞이하러 기차 정거장까지 나오기를 바라고 있었으니. 그는 '진정으로 이익이 되는 것이 우리에게 있다는 것을 그들에게 보여 줄 수만 있다면 우리의 능력을 무한히 인정받을 겁니다.'라고 말하곤 했지. '물론 우리는 항상 동기(動機)를 신경 써야 해요. 올바른 동기라야 하니까요.' 언제나 똑같아 보이던 긴 강기슭과 단조로운 만곡부가 기선 옆으로 미끄러지듯 지나갔는데 강가에 무리 지어 늘어선 오래된 나무들은 딴 세상에서 찾아온 기름투성이 물체요, 변화, 정복, 교역, 살육 및 축복의 선구자이기도 했던 우리 기선이 지나가는 모습을 참을성 있게 지켜보고 있었어. 나는 배를 조종하며 앞을 바라보고 있었지. '덧문을 닫아 주세요. 차마 이 광경을 바라볼 수 없군요.' 어느 날 커츠가 갑자기 말하더군. 그래서 나는 덧문을 닫았어. 한동안 침묵이 흘렀지. '아! 하지만 나는 너의 심장을 쥐어짜고 말 거야!' 그는 보이지 않는 밀림을 향해 소리쳤어.

내가 걱정한 대로 기선이 고장 나더군. 그래서 우리는 어떤 섬의 첫머리에 정박하고 배를 고쳐야 했어. 이 운항 지연이 커츠의 자신감을 처음으로 흔들리게 했어. 어느 날 아침 그는 한 묶음의 서류와 사진 한 장을 주었는데 구두끈으로 묶여 있더군. '나 대신 이걸 좀 보관해 주세요.' 그가 말했어. 그러고 나서 그는 지배인을 가리키며 '저 고약한 바보 녀석이 내가 보지 않을 때 몰래 내 사물함을 들여다볼 수도 있거든요.'

라고 말했어. 나는 그날 오후 그를 찾아갔는데 눈을 감고 누워 있기에 조용히 물러서려고 했지. 하지만 그가 '올바르게 살아야지. 죽을 때는, 죽……'이라고 중얼대는 소리가 들렸어. 그래서 귀를 기울였지만 아무 말도 더 하지 않더군. 그는 잠결에 연설문을 외고 있었던 걸까, 아니면 어느 신문 기사 구절의 한 토막이었을까? 그는 그간 여러 신문에 글을 쓰고 있었는데 다시 글쓰기를 시작하려고 한다면서 '내 이념을 펼치기 위해서지요. 그건 내 임무지요.'라고 말한 적도 있었으니까.

그가 처해 있던 암흑은 일종의 뚫을 수 없는 암흑이었어. 나는 마치 햇빛이 전혀 들지 않는 절벽의 밑바닥에 누워 있는 사람을 내려다보듯이 그를 바라보았어. 하지만 그에게 많은 시간을 할애하지 못했어. 왜냐하면 기관사가 물이 새는 실린더를 분해하고 구부러진 엔진 연결봉(連結棒)을 펴는 일과 그 밖의 수리 작업을 도와야 했기 때문이야. 나는 녹, 쇳가루, 너트, 볼트, 스패너, 해머, 수동 드릴 따위가 엉망으로 널려 있는 가운데서 지내야 했는데 그런 것들이 천성에 맞지 않아 극히 혐오스러웠어. 나는 다행히 배에 싣고 다니던 대장간 시설도 돌보고 있었지. 나는 견딜 수 없을 정도의 오한이라도 나지 않는 한 그 을씨년스러운 고철 더미에 묻힌 채 지겹게 일했어.

어느 날 저녁 나는 촛불을 들고 들어가다가 커츠가 약간 떨리는 목소리로 '나는 여기서 죽음을 기다리며 어둠 속에 누워 있군.'이라고 말하는 것을 듣고 깜짝 놀랐어. 그의 눈에서 1피트도 떨어지지 않은 곳에 촛불이 있었거든. 나는 애써 '쓸데없는 말을 하시네요!'라면서, 마치 그 자리에서 꼼짝 못 하게 된 사람처럼 그를 굽어보았어.

그때 그의 표정에 감돌던 변화에 비교될 만한 것을 나는 지금까지 본 적이 없고 앞으로도 다시는 보지 않기를 바라. 아, 나는 그 변화에 감동한 것이 아니고 오직 매혹되었을 뿐이야. 그의 얼굴을 가리고 있던 베일이 찢어진 듯했어. 그 상앗빛 얼굴에서 나는 침통한 오만, 무자비한 권세, 겁에 질린 공포 같은 치열하고 기약 없는 절망의 표정을 보았거든. 완벽한 앎이 이루어지는 지고(至高)한 순간에 그는 욕망, 유혹, 굴복으로 점철된 그의 반생을 세세하게 되짚어 보았던 걸까? 그는 모종의 이미지, 모종의 환영을 향해 속삭이듯 외쳤어. 겨우 숨결에 불과한 낮은 목소리로 그가 두 번 외치더군.

'무서워! 무서워!'

나는 촛불을 끄고 선실에서 나왔어. 백인들이 식당에서 식사를 하고 있더군. 나는 지배인 맞은편 자리에 앉았는데 지배인이 눈을 치켜뜨고 뭔가를 캐묻듯이 나를 바라보았지만 나는 그걸 깨끗이 무시했어. 그는 몸을 뒤로 기댄 채 평온히 앉아 있었고 그 특유의 미소가 겉으로 드러나지 않은 채 깊이 숨어 있던 그의 야비함을 가리고 있었어. 작은 파리들이 떼지어 램프며 식탁보며 우리 손등이며 얼굴에 마치 소나기가 퍼붓듯이 질기게 덤벼들더군. 그때 지배인이 부리던 소년이 난데없이 문간에 나타나 검은 머리를 무례하게 들이밀고는 지독히 경멸적인 어조로 말했어.

'미스터 커츠, 그 사람 죽었어요.'

모든 백인들이 살펴보러 달려 나가더군. 나는 자리에 앉은 채 식사를 계속했어. 사람들은 나를 지극히 냉정한 사람으로 여겼겠지. 하지만 밥이 많이 먹히지는 않더군. 그곳엔 램프가 하나 있었어. 왜, 빛이 있으면 그렇잖은가. 램프 밖은 지독히, 정말 지독히도 어둡더군. 이 지상에서 자기 영혼이 겪은 모험에 대해 판결을 내린 그 주목할 만한 인물 가까이에 나는 다시 가지 않았어. 그의 목소리는 사라졌고 그 밖에 남은 게 없었으니까. 하지만 그 이튿날 백인들이 진흙 구덩이에 무언가를 매장했다는 것을 나는 물론 잘 알아.

그러고 나서 백인들이 나까지 매장할 뻔했지.

하지만, 자네들이 보다시피, 나는 그때 거기서 커츠를 뒤따라가지는 않았어. 나는 죽지 않았던 거야. 나는 살아남아서 그 악몽을 끝까지 꾸었고 다시 한번 커츠에게 신의를 지켜야 했네. 운명이었어. 내 운명이었단 말이네. 인생이란 우스꽝스러운 거야. 어떤 부질없는 목적을 위해 무자비한 논리를 불가사의하게 배열해 놓은 게 인생이니까. 우리가 인생에서 희망할 수 있는 최선의 것은 우리 자아에 대한 약간의 앎이지. 그런데 그 앎은 너무 늦게 찾아와서 결국 지울 수 없는 회한(悔恨)이나 거둬들이게 돼. 나는 죽음을 상대로 씨름해 왔어. 그건 우리가 생각할 수 있는 다툼 중에서도 가장 맥 빠지는 다툼이야. 어떤 막연한 회색 공간에서 그 다툼을 하게 되는데, 발로 딛고 설 땅이 없고, 주변에 아무것도 없으며, 구경꾼도 없고, 소란도 없고, 영광도 없고, 승리를 향한 커다란 욕구도 없고, 패배에 대한 커다란 두려움도 없으며, 미지근한 회의(懷疑)로 가득한 진저리 나는 분위기 속에서, 우리 자신의 정당성에 대한 많은 믿음도 없고 우리의 적수인 죽음에 대한 믿음은 더 더구나 없이 다투기만 하는 거야. 만약 이런 것이 궁극적 지혜의 형식이라면 인생은 우리 몇몇이 생각하는 것보다 훨씬 더 풀기 어려운 수수께끼가 돼. 나는 삶에 대한 최종 판단을 내릴 마지막 기회를 간발의 차이로 놓쳤지만, 어차피 내가 아무 말도 하지 못하고 말 것을 알고 굴욕감을 느꼈을 뿐이야. 내가 커츠를 주목할 만한 사람이라고 주장하는 이유도 바로 거기에 있어. 그에게는 할 말이 있었거든. 그리고 그걸 말했어. 나 스스로 죽음의 문턱에서 그 너머를 응시한 적이 있기에 나는 커츠의 눈초리가 무엇을 의미했는지 더 잘 이해할 수 있었어. 그 눈은 촛불을 보지 못했지만, 온 우주를 감싸 안을 듯 활짝 뜨고 있었고 암흑 속에서 고동치는 그 모든 심장 속으로 침투할 수 있을 만큼 꿰뚫고 있었어. 그는 자기 삶을 요약한 후 '무서워!'라는 말로 판정을 내렸던 거야. 그는 주목할 만한 사람이었어. 어쨌든 그것은 모종의 믿음을 표현한 말이었어. 그 말에는 솔직함과 신념이 들어 있었고 그 속삭임 속에서는 항거의 어조가 떨리고 흘끗 엿보인 진실의 끔찍한 표정이 드러났으므로 열망과 증오가 기이하게 뒤섞여 있었다고 할 수 있지. 나 자신이 처해 있던 극한 상황은 육신의 고통으로 가득하고 만물의 덧없음이나 심지어 고통 자체의 덧없음에 대한 무관심한 경멸로 가득한 형상 없는 회색 비전으로 비쳤지만, 내가 가장 잘 기억하는 것이 그런 극한 상황은 아니었어. 아니고말고! 내가 살며 겪은 것처럼 보이는 것은 바로 커츠의 극한 상황이었어. 사실 그는 마지막 한 걸음을 성큼 내디디며 죽음의 문턱을 넘어갔지만, 나에게는 그 문턱에서 머뭇거리다 물러서는 것이 허용되었지. 아마도 그와 나 사이의 차이가 바로 거기에 있을 거야. 아마도 그 모든 지혜, 모든 진실 그리고 모든 성실성도 우리가 보이지 않는 세계의 문턱을 넘어가는 바로 그 알 수 없는 순간에 압축되어 있을 거네. 아마 그럴 거야! 내가 나의 삶을 요약했다면 그것이 아무렇게나 경멸을 나타내는 말은 아니었을 것이라 생각하고 싶네. 하지만 그의 외침이 더 훌륭했을 거야. 훨씬 더 훌륭했을걸. 그 외침은 무수한 패배, 끔찍한 공포, 끔찍한 욕구 충족을 대가로 치르고야 성취한 하나의 긍정이요, 하나의 도덕적 승리였어. 어쨌든 그건 하나의 승리였어! 바로 그런 이유로 나는 끝까지 커츠에게 충실했고, 그후 오래 지나 내가 이제는 그 자신의 목소리를 직접 듣지 못하고 오직 어떤 수정(水晶) 절벽처럼 투명하게 맑은 영혼을 지닌 분으로부터 나에게 메아리 형태로 전해진 그의 화려한 달변을 듣게 될 때까지도 나는 그에게 충실했어.

그래. 사람들이 나까지 매장하지는 않았어. 물론 지금 내가 안개 속에 있는 것처럼 희미하게 기억하는 시기가 있기는 하지. 그때를 생각하면 마치 아무 희망도 욕망도 없고 생각조차 하기 어려운 세계를 지나는 듯한 경이로움에 몸이 떨려. 나는 그 무덤 같은 도시로 되돌아와서 길거리를 분주히 오가는 사람들의 꼴을 보며 속상해했어. 그들은 서로 돈을 훔치거나, 맛없기로 악명 높은 음식을 삼키거나, 몸에 해로운 맥주를 들이켜거나, 바보처럼 껄렁한 꿈이나 꾸면서 거리를 나돌아 다녔지. 그들이 내 사념에 거슬리더군. 내가 보기에 삶에 대한 지식이 형편없는 허식에 불과한 그들은 훼방꾼이었어. 왜냐하면 내가 삶에 대해 아는 것을 그들은 알지 못한다고 나는 확신했기 때문이야. 그들은 그저 자기네야말로 철저히 안전하다는 확신을 가지고 생업에 종사하는 평범한 개개인의 자세를 보였는데, 그런 자세는 위험에 처해도 위험한 줄 모르는 바보들의 꼴사나운 허세 부리기처럼 나에게 역겹더군. 그들을 깨우쳐 주어야겠다는 특별한 욕구가 나에게 있었던 건 아니야. 하지만 그들과 대면할 때마다 그 바보처럼 잘난 척하는 얼굴을 향해 비웃고 싶은 충동만은 억제하기 어렵더군. 물론 당시 나는 건강이 좋지 않았지. 해결해야 할 문제가 많았기 때문에 나는 비틀걸음으로 거리를 돌아다니며 나무랄 데 없이 존대해 보이는 사람들을 향해 쓴웃음을 짓곤 했어. 나의 그런 행위가 용서받기 어렵다는 걸 인정하네. 하지만 당시 내 체온은 정상적일 때가 별로 없었거든. 내 다정한 숙모께서는 내가 기력을 회복하도록 애썼지만 그 노력은 전적으로 빗나갔어. 내 기력에 회복이 필요했던 게 아니고 내 상상력을 진정시킬 필요가 절실했거든. 나는 커츠가 나에게 맡긴 서류 뭉치를 보관하고 있었지만 그걸 어떻게 처리해야 할지 몰랐어. 그의 모친은 얼마 전에 세상을 떠났는데, 듣기로는 그의 약혼녀가 임종을 지켰다는 거야. 어느 날 깔끔하게 면도하고 금테 안경을 낀 사내가 공무 중인 듯한 태도로 나를 찾아와서는 거침없이 '특정 서류'라고 지칭한 문서들에 대해 처음에는 우회적으로 문의하다가 곧 점잖게 압력을 가하며 캐묻더군. 나는 그의 방문을 받고도 놀라지 않았어. 왜냐하면 콩고에서 이미 지배인과 그 문제를 놓고 두 번이나 소동을 벌인 적이 있었기 때문이야. 나는 지배인에게 그 서류 뭉치에서는 아주 하찮은 종잇조각 한 장도 내놓을 수 없다고 했어. 그래서 그 안경 낀 사내도 똑같은 태도로 대했지. 결국 그는 음험하게 협박적인 태도를 보이며 아주 화난 어조로 회사 측에서는 그 '관할 지역'과 관련된 모든 정보에 대한 권리가 있다고 하더군. 그러고 나서 말했어. '커츠 씨의 엄청난 능력과 그가 처해 있던 개탄할 만한 상황을 고려할 때 아직 탐험되지 않은 지역에 대한 그의 지식은 필연적으로 광범위하고 특별할 겁니다. 그러므로……' 나는 그에게 커츠 씨의 지식이 아무리 광범위하다 해도 통상과 회사 업무와는 아무 관계도 없을 거라고 장담했지. 그러니까 이제는 그가 과학이라는 명분을 들먹이면서 '만약 그 서류가 공개되지 않는다면 헤아릴 수 없을 만큼 큰 손실이 될 것'이라느니 어쩌니 하더군. 나는 '야만 풍습 억제'에 대한 보고서를, 가필된 후기 부분은 찢어 낸 채 그에게 내놓았어. 그는 관심을 보이며 그 보고서를 집어 들었지만 이내 멸시의 콧방귀를 뀌며 '이건 우리가 정당한 권리를 가지고 찾아내고자 하는 문서가 아니군요.'라고 하더군. 나는 '이것 말고는 아무것도 기대하지 마십시오. 사사로운 편지밖에 없으니까요.'라고 했지. 그는 법원에 제소하겠다고 위협하면서 가 버리더군. 그 후 나는 그를 다시 보지 못했어. 이틀 후에는 커츠 씨의 사촌이라고 자처하는 다른 사람이 나타나 자기 정다운 친척의 마지막 모습을 세세히 듣고 싶어 하더군. 이야기를 주고받다가 나는 커츠가 원래는 대단한 음악가였음을 알게 되었어. '크게 성공할 소질이 있는 사람이었지요.' 그가 말했어. 그는 오르간 연주자였던 모양인데 곱슬기가 없는 그의 회색 머리카락이 기름에 찌든 옷깃을 덮으며 흘러내려 있었어. 그가 한 말을 의심할 이유는 없었지. 그런데 오늘날까지도 나는 커츠에게 도대체 직업이라는 것이 있었는지, 또 있었다면 최대한 재능을 발휘할 수 있는 직업이 무엇이었는지 모른다네. 나는 커츠가 이따금 신문에 글을 쓴 화가였거나 그림을 그릴 줄 아는 언론인이었을 거라고 여기고 있어. 나와 만나는 동안 코담배[25] 냄새를 맡곤 하던 커츠의 사촌조차 그의 직업이 뭐라고 정확히 말하지 못하더군. 그러면서 한다는 소리가 커츠는 만능 재주꾼이라는 거였어. 그 점에 대해서는 나도 그 늙은 남자의 의견에 동의했지. 그랬더니 그는 큼직한 무명 손수건을 끄집어내 요란하게 코를 풀었고, 가족끼리 주고받은 편지와 중요하지도 않은 메모 따위를 챙긴 후에 노인답게 몸을 휘청거리며 가 버리더군. 그 후에는 한 언론인이 나타나서 자기의 '절친한 동료'가 어떤 종말을 맞았는지 몹시 알고 싶어 하더군. 그 방문객은 커츠의 본령(本領)이 '대중 취향의 정치'였어야 마땅하다고 말했어. 숱 많은 곧은 눈썹에 억센 머리카락을 짧게 깎은 그는 널찍한 리본이 달린 단안경(單眼鏡)을 쓰고 있었는데, 일단 말문이 열리자 커츠가 글은 별로 잘 쓰지 못했다는 의견을 토로하더군. '하지만 정말 말솜씨는 내단했어. 큰 집회에 모인 사람들을 매혹할 수 있었지요. 그에게는 신념이 있었어요. 아시겠어요? 신념

---

25) 피우거나 씹지 않고 냄새를 맡는 담배.

이 있었다고요. 그는 자신에게 무엇이건 가리지 않고 확신시킬 수 있었지요. 과격한 정당의 화려한 지도자가 될 수도 있었을 거예요.' '어떤 정당 말씀입니까?' 내가 물었어. '아무 정당이건 상관없어요. 그는 과격한 사람이었으니까.' 그가 대답하더군. 그러고 나서 그가 그렇게 생각하지 않느냐고 묻기에 나도 그 말에는 동의한다고 했지. 그는 갑자기 호기심을 보이면서 커츠가 콩고로 나가도록 한 요인이 무엇인지 아느냐고 묻더군. '알고말고요.' 나는 대답하면서 출판을 위해 썼다는 그 유명한 보고서를 그에게 건네주며 출판할 만하다고 여기거든 출판해 보라고 했지. 그는 사뭇 뭐라고 중얼대면서 허겁지겁 그 보고서를 훑어보더니 '이만하면 출판할 수 있겠는데.'라는 판단을 내린 후 그걸 노획물처럼 챙겨 들고 가 버리더군.

결국 나에게 남은 건 얄팍한 편지 뭉치와 그의 약혼녀 사진 한 장뿐이었어. 내가 보기에 그녀는 아름답더군. 표정이 아름다웠다는 뜻이야. 사진을 찍을 때 빛을 조작하면 실제 모습을 위장할 수 있다는 걸 알아. 하지만 빛과 자세를 아무리 조작해도 그녀의 표정에 그 미묘한 진실성을 더할 수는 없을 거야. 그녀는 아무런 정신적 망설임이나 의구심이 없이 자신의 생각은 조금도 하지 않으며 상대방의 이야기만 경청하려고 하는 듯했어. 나는 그녀를 찾아가 직접 그 편지 뭉치와 사진을 돌려줘야겠다고 마음먹었지. 호기심 때문이었느냐고? 맞아. 하지만 그것 말고도 아마 다른 감정이 개입되었을 거야. 한때 커츠의 소유물이었던 것이 모두 내 손에서 빠져나갔어. 그의 영혼, 그의 육신, 그의 주재소, 그의 계획, 그의 상아, 그의 필생의 과업 같은 것 말이네. 남은 것이라고는 그에 대한 기억과 그의 약혼녀뿐이었어. 말하자면 나는 그런 것들마저 과거로 넘기고 싶었던 걸세. 나는 아직 내게 남아 있던 그의 잔재를 인간의 공동 운명에서 마지막 경지라고 할 수 있는 망각의 세계로 손수 넘겨주고 싶었던 거야. 나는 내 처사를 변명하고 싶지는 않아. 내가 진실로 원한 것이 무엇인지조차 분명히 몰랐으니까. 아마도 그것은 무의식적으로 커츠에게 충실하자든가 아니면 인간 존재의 여러 면모에 도사리고 있는 기이한 필요성 중 하나를 수행해야겠다는 충동이었을 테지. 잘 모르겠어. 뭐라고 해야 할지 모르겠어. 어쨌든 나는 그녀를 찾아갔어.

나는 커츠의 기억도 우리 각자의 삶에 쌓이게 되는 다른 망자들에 대한 기억과 같다고 생각했어. 그것은 갑자기 나타났다가 이내 사라져 버리는 그림자 같은 것들이 우리의 두뇌에 남기는 막연한 흔적 같은 거야. 그러나 공동묘지의 잘 관리된 통로처럼 고요하고 단정한 거리의 높다란 건물들 사이에 있던 그 높고 육중한 문간 앞에서 나는 들것에 누워 있던 커츠가 온 지구를 모든 인간과 함께 송두리째 삼키려는 듯 게걸스럽게 입을 벌리고 있는 환영(幻影)을 보았어. 그가 내 앞에 되살아났던 거야. 전에 이 세상에 살아 있을 때처럼 살아났지. 그는 화려한 외양과 무서운 실체에 만족할 줄 모르던 그림자요, 밤의 그늘보다 더 어두운 그림자였는데, 화려한 달변을 주름 속에 숨긴 천을 고귀하게 걸치고 있었어. 그 환영이 나와 함께 그 집으로 들어가는 듯하더군. 들것, 그 들것을 든 유령 같은 사람들, 그에게 순종하는 야성적 숭배자 무리, 숲속의 어둠, 침침한 만곡부 사이로 뻗어 있던 번뜩이는 강기슭, 정복자 같은 암흑의 심장[26]이 숨을 죽이고 규칙적으로 고동치며 내는 듯한 북소리, 이런 것들이 함께 그 집으로 들어가는 듯했어. 밀림에게는 그게 승리의 순간이요, 복수하려고 침입하는 공세였지만, 내가 보기에는 또 한 사람의 영혼을 구원하기 위해 혼자 힘으로 물리치지 않으면 안 될 공세였다네. 그리고 멀리 콩고의 참을성 있는 밀림에서 불이 활활 타오르는 가운데 머리에 뿔 장식을 한 자들이 날뛰고 있을 때 그들을 등진 채 내가 커츠의 말을 들은 기억과 그 끊어졌다 이어졌다 하던 어구들이 되살아나서 단순하지만 무섭고 불길하게 다시 들리는 듯했어. 그의 그 참담한 호소, 비열한 협박, 엄청난 규모의 간악한 욕망, 그 야비함, 그 고통, 그의 영혼이 겪은 폭풍 같은 고뇌 등이 기억나더군. 나중에 나는 그가 어느 날 침착하고 나른한 목소리로 '이 많은 상아는 사실 내 것이지요. 회사는 값을 치르지도 않았어요. 내가 신변의 큰 위험을 무릅쓰며 손수 이 상아를 모았다고요. 하지만 회사에서는 마치 자기네 소유물인 것처럼 이 상아를 차지하려 하겠지요. 참 어렵게 됐어요. 내가 어떻게 하는 것이 좋을까요? 항거할까요? 내가 원하는 건 공정한 처사뿐이에요……'라고 말하던 모습까지 보는 듯했어. 그는 공정한 처사만 원했던 거야. 공정한 처사만. 나는 2층에 있는 어느 마호가니 출입문 앞에 서서 초인종을 울렸

---

26) "정복자 같은 암흑의 심장(the heart of a conquering darkness)"에서 heart의 일차적 의미는 '심장'이고 '핵심'은 은유적 의미이다.

어. 주인이 나타나길 기다리는 동안 마치 커츠가 그 유리처럼 반질거리는 나무 판에서 나를 노려보고 있는 듯한 착각이 들더군. 온 우주를 감싸 안고서 규탄하고 혐오하려는 듯 그는 휘둥그렇게 뜬 커다란 눈으로 나를 노려보고 있었어. 그가 '무서워! 무서워!'라며 속삭이듯이 외치는 것이 들리는 듯하더군.

마침 어둠이 내리고 있었지. 나는 천장이 높다란 응접실에서 기다려야 했는데 마루에서 천장까지 통해 있던 세 개의 창이 휘황하게 천을 드리운 세 개의 기둥처럼 보이더군. 가구의 구부러진 금빛 다리와 그 뒷면이 흐릿하게 커브를 그리며 빛을 내고 있었어. 높다란 대리석 벽난로는 싸늘한 기념비처럼 흰색을 띠었고. 한쪽 구석에는 그랜드 피아노가 우람하게 놓여 있었는데 평평한 표면이 침통하게 반질거리는 석관(石棺)처럼 어둑히 번뜩이더군. 높다란 출입문이 열리더니 이내 닫혔어. 나는 자리에서 일어섰지.

온통 검은색으로 차려입은 그녀는 파리한 얼굴로 마치 어둠 속에 둥실 떠 있듯이 내게로 다가오더군. 그녀는 상중(喪中)이었어. 그가 죽고 1년이 넘었고 그의 부음(訃音)을 들은 지도 1년이 넘었는데 그녀는 마치 영원히 그를 기억하며 애도하려는 것처럼 보이더군. 그녀는 내 두 손을 잡고 중얼거렸어. '오신다는 말씀을 들었습니다.' 그녀가 아주 젊지는 않구나 싶더군. 소녀다운 티가 없었다는 뜻이야. 그녀에게는 성실성과 믿음을 지키고 고통을 감내하며 사는 성숙한 능력이 있었어. 그 구름 낀 저녁의 슬픈 빛이 모두 그녀의 이마로 숨어버린 것처럼 그 방은 더 어두워진 것 같더군. 그녀의 금발, 파리한 얼굴과 맑은 이마에는 잿빛 후광(後光)이 둘려 있고 거기서 검은 눈이 나를 바라보고 있는 듯했어. 그 눈초리는 속임 없이 심오했고 신념과 신임으로 젖어 있더군. 그녀의 슬픈 얼굴을 보니 그녀는 마치 자기 슬픔을 자랑하는 듯했고 '그분에게 합당한 상례(喪禮)를 지킬 줄 아는 사람은 나밖에 없다.'라고 말하고 싶어 하는 듯했어. 하지만 우리가 계속 손을 잡고 있는 동안 너무 처절한 기색이 그녀의 얼굴에 감돌았기 때문에 나는 그녀야말로 세월이 흘러도 슬픔을 쉽게 잊을 사람이 아니라는 것을 감지할 수 있었지. 그녀에게는 마치 그가 죽은 지 하루밖에 되지 않은 듯했으니까. 게다가 그런 인상이 어찌나 강렬하던지 나에게도 커츠가 바로 하루 전에, 아니 바로 일 분 전에 죽은 것처럼 여겨지더라니까. 나는 그녀와 그를 똑같은 시간에 보고 있었던 거야. 그의 죽음과 그녀의 슬픔 말이야. 그가 죽은 바로 그 순간에 그녀의 슬픔을 보고 있는 듯했단 말이네. 내 말을 알아듣겠는가? 나는 두 사람을 함께 보고 두 사람의 말을 동시에 들었던 거야. 그녀는 깊은 숨을 다 잡으며 '그분은 돌아가셨는데 저는 이렇게 살아 있어요.'라고 했는데, 그 순간 긴장한 내 귀는 커츠가 자기 일생을 요약하면서 속삭인 그 영원한 단죄(斷罪)의 말에 그녀의 절망적 회한의 어조가 뒤섞이는 것을 분명히 듣는 듯했어. 나는 도대체 거기서 무엇을 하고 있느냐고 나 자신에게 물어보았지. 내가 잔혹하고 부조리한 일들이 일어나는 곳으로 잘못 들어가서 인간으로서는 차마 볼 수 없는 일들을 보고 있는 것처럼 마음속으로 공포를 느꼈기 때문이야. 그녀가 손짓으로 내게 의자를 권했고 우리는 앉았어. 내가 작은 탁자에 조용히 꾸러미를 올려놓자 그녀가 그 꾸러미에 손을 얹더군…… 잠시 애도의 침묵을 지키고 있다가 그녀가 말했어. '그분을 잘 아시겠군요.'

'그곳에서는 쉽게 친해진답니다.' 내가 대답했지. '저는 그분에 대해 알 만큼은 안다고 할 수 있지요.'

'그렇다면 그분을 찬양하시겠네요.' 그녀가 말했어. '그분을 알게 된 사람이라면 그분을 찬양하지 않을 수 없을 테니까요. 그렇죠?'

'그분은 주목할 만한 분이셨습니다.' 내가 떨리는 어조로 말했어. 내 입에서 더 많은 말이 떨어지기를 고대하는 듯 꼼짝 않고 나를 노려보던 그 호소 어린 눈 앞에서 나는 말을 이었어. '네, 그분을 아는 사람이라면 당연히 그분을……'

'사랑하게 되겠지요.' 그녀가 이렇게 내 말을 이어받아 끝맺자 나는 그만 어안이 벙벙해서 말문이 막히더군. '정말 그렇지요. 정말 그렇고말고요! 이 세상 누구도 저만큼 그분을 알지 못할 거라고 여기신다면! 저는 그분의 고귀한 신임을 독차지했어요. 누구보다도 제가 그분을 더 잘 알았어요.'

'누구보다도 그분을 더 잘 아셨겠지요.' 나는 그녀의 말을 되풀이했어. 아마 실제로 그랬겠지. 그러나 말을 한마디씩 주고받을 때마다 그 방은 점점 더 어두워졌고 오직 매끈하고 하얀 그녀의 이마만 꺼질 줄 모르는 믿음과 사랑으로 인해 여전히 밝아 보였어.

'선생께서는 그분의 친구셨죠.' 그녀가 말을 이었어. '그분의 친구셨죠.' 그녀가 약간 목소리를 높여 같은 말을 되풀이하더군. '그분이 이걸 선생께 맡기고 선생을 제게 보내신 걸 보면 선생께서 그분의 친구였음이 분명해요. 그러니 선생께는 말씀 드릴 수 있을 것 같네요. 아! 말씀드려야겠어요. 그분의 마지막 말까지 들으셨다니 선생께서는 제가 그분의 약혼녀로 손색 없음을 알아 주셨으면 해요……. 자랑은 아닙니다……. 네, 혹시 자랑스러운 게 있다면 제가 이 세상 누구보다 그분을 더 잘 이해했다는 것이지요. 그분도 그렇게 말씀하셨어요. 그런데 그분의 모친께서 세상을 떠나셨으니 이제는 제게 아무도 남지 않아…….'

나는 귀를 기울이고 있었어. 어둠이 더 깊어지더군. 나는 그가 나에게 제대로 된 서류 묶음을 맡겼는지조차 장담할 수 없었어. 지금 생각하니 그가 나에게 다른 서류 묶음도 간수해 주길 원했던 것 같기도 하거든. 그가 죽은 후에 지배인이 등불을 밝혀 놓고 그 서류 다발을 살펴보는 것을 본 적이 있었어. 그 여인은 내가 자기 말에 공감하리라고 확신하고 아픔을 누그러뜨리며 이야기를 계속하더군. 그녀는 마치 목마른 사람이 물을 마시듯 말했던 거야. 커츠와의 약혼을 그녀의 가족들이 반대했다는 이야기는 이미 들은 적이 있었지. 그의 재산이 넉넉하지 않았다든가 하는 이유 때문이었대. 사실 나는 그가 한평생 가난뱅이로 살았던 게 아닐까 싶기도 해. 그가 콩고로 나가지 않을 수 없었던 것도 바로 자신의 상대적 빈곤을 참을 수 없었기 때문이라고 생각하게 하는 약간의 근거를 그가 내비친 적도 있었으니까.

'……그분의 말씀을 한 번이라도 들어 본 사람이라면 그분의 친구가 되지 않을 수 없었을 거예요.' 그녀가 말했어. '그분은 사람들의 가장 좋은 점을 찾아내고 그것으로 사람들을 자기 쪽으로 끌어들였지요.' 그녀가 감정에 겨운 듯이 나를 바라보더군. '그건 위대한 사람들의 타고난 재주예요.' 그녀가 말을 이었어. 그런데 그 나직한 목소리는 내가 일찍이 들어 본 모든 불가사의하고 쓸쓸하고 슬픈 소리를 곁들이는 듯했어. 그 목소리에는 강에서 잔물결이 이는 소리, 바람에 흔들리는 수목의 살랑거림, 여러 무리의 사람들이 웅얼거리는 소리, 멀리서 알아듣기 어렵게 울려오는 희미한 말소리, 영원한 어둠의 문턱 너머에서 속삭이듯 들려오는 목소리 등이 섞여 있었거든. '선생께선 그분의 말씀을 들어 보셨지요. 그러니 아시겠군요!' 그녀가 큰 소리로 말했어.

'네, 압니다.' 나는 마음속으로 절망 비슷한 것을 느끼며 말했지만, 실은 그녀가 가슴속에 품고 있던 믿음 앞에서, 그리고 어둠 속에서 비현세적인 이글거림으로 빛나던 그 큰 구원(救援)의 환상 앞에서 나는 머리를 숙이고 있었던 거야. 어차피 그 기세등등한 어둠으로부터 그녀를 지킬 수는 없었을 테고, 나 자신도 지킬 수 없었을 테니까.

'저에게는, 아니 우리에게는 큰 손실이지요!' 그녀는 이처럼 '저'를 '우리'로 고쳐 말함으로써 아름다운 아량을 베풀었어. 그러고 나서 그녀는 마치 중얼거리듯 '온 세상 사람들의 손실이지요.'라고 덧붙이더군. 마지막 저녁 노을 덕분에 나는 눈물이 글썽한 그녀의 눈이 반짝이는 것을 볼 수 있었는데 좀처럼 떨어지려 하지 않으며 고여 있는 눈물이었어.

'그동안 저는 아주 행복했고 아주 운이 좋았고 아주 자랑스러웠습니다.' 그녀가 말을 이었어. '너무 운이 좋았지요. 한동안은 너무 행복했고요. 그런데 지금 저는 불행해요. 평생 불행할 거예요.'

그녀가 일어서더군. 그녀의 금빛 머리카락은 허공에 남아 있던 잔광을 모두 받은 듯 금빛을 내고 있었어. 나도 자리에서 일어났지.

'그 모든 것 중에서……' 그녀가 애도하는 어조로 말을 이었어. '그분의 모든 기약 중에서 그리고 그분의 모든 위대함, 너그러운 마음, 고귀한 감정 중에서 이제는 아무것도 남지 않았네요. 기억뿐이에요. 선생과 저는……'

'우린 언제나 그분을 기억할 겁니다.' 내가 얼른 말했어.

'아니!' 그녀가 울부짖더군. '그 모든 것이 상실되다니 이럴 순 없어요……. 그 고귀한 생명을 희생했는데도 남은 것은 아무것도 없고 겨우 슬픔뿐이라니. 그분의 계획이 얼마나 원대했는지 선생께서는 아시지요. 저도 그 계획을 알았어요. 이해할 수는 없었지만요. 하지만 다른 사람들은 그걸 알았어요. 그러니 무언가가 남아 있어야 합니다. 적어도 그분의 말씀은 죽지 않았을 테니까요.'

'그분의 말씀은 남을 겁니다.' 내가 말했어.

'그리고 그분이 보인 모범도 남아야 해요.' 그녀가 혼잣말하듯 속삭였어. '사람들은 그분을 우러러보았고 그분의 훌륭함은 모든 행동에서 빛났어요. 그분의 모범도……'

'맞습니다.' 내가 말했지. '그분이 보인 모범도 남아야지요.

아무렴요. 그 모범도 남아야 한다고요. 제가 그걸 잊었습니다.'

'하지만 저는 잊지 않았습니다. 믿을 수가 없어요. 믿을 수가 없다고요. 제가 다시는 그분을 보지 못할 거라든지, 아무도 다시는, 영영 다시는, 그분을 보지 못할 것이라고는 믿을 수 없다고요.'

마치 물러서는 사람을 쫓아가듯 그녀가 두 팔을 앞으로 내밀자 검은 옷을 걸친 팔과 주먹을 쥔 창백한 두 손이 점점 흐려지는 그 좁다란 유리창에 걸쳐진 듯했어. 영영 보지 못할 것이라니! 그 순간 나는 그를 아주 분명히 보고 있었거든. 내가 살아 있는 동안 나는 언제나 그 달변의 망령을 보게 될 거야. 그뿐 아니라 그 눈에 익은 비극적 허깨비 같은 그녀의 모습도 영원히 보고 있을 거야. 그런 자세를 한 그녀의 모습은 내가 본 다른 여인과 닮은 데가 있었어. 그 여인 또한 비극적인 인물로서 아무 효력도 없는 부적으로 몸을 장식한 채 그 지옥 같은 강물, 암흑의 세계에서 흘러내리는 강의 번뜩이는 수면 위로 맨살이 드러난 갈색 팔을 내밀고 있었거든. 갑자기 그녀가 나직한 소리로 말하더군. '그분은 훌륭히 살아오셨으니 훌륭히 돌아가셨을 테죠.'

'그분의 임종은 어느 면으로 보나 그분 일생에 걸맞았습니다.' 나는 마음속으로 멍하게 들끓는 분노를 느끼며 대답했어.

'그런데 저는 그분 곁에 있지 못했습니다.' 그녀가 중얼대더군. 그 말을 듣자 무한한 연민의 감정이 일면서 분노가 가라앉더군.

'우리가 할 수 있었던 일은 모두 ……' 내가 나직이 중얼거렸지.

'아, 하지만 저는 이 세상 누구보다 더 그분을 믿었어요. 그분의 모친보다, 아니, 그분 자신보다 제가 그분을 더 믿었지요. 그분에게는 제가 필요했다고요! 제가요! 저는 그분의 마지막 숨소리, 한 마디 한 마디 하시는 말씀, 모든 표정, 모든 눈빛을 소중히 간직했을 테니까요.'

그 말을 듣자 오싹한 느낌이 내 가슴을 죄는 듯했어. '너무 이러시면 안 됩니다.' 나는 목소리를 낮추며 말했어.

'용서해 주십시오. 그간 저는 너무 오랫동안 침묵 속에서 애도해 왔습니다. 침묵 속에서요……. 선생께서는 마지막 순간까지 그분과 함께 계셨다고요? 저는 지금 그분이 겪었을 외로움을 생각하고 있습니다. 저처럼 그분을 이해해 줄 사람이 그분 곁에 아무도 없었겠지요. 아마도 그분의 말씀을 들어 줄 사람도 없었을…….'

'마지막 순간까지 있었답니다.' 내가 떨리는 목소리로 말했어. '제가 그분의 마지막 말씀을 들었는데…….' 나는 무서워서 말을 맺지 못했어.

'그걸 말씀해 주세요.' 그녀는 가슴이 찢어지는 듯한 어조로 중얼댔어. '저에게 필요해요. 저에게는 무언가 앞으로 평생 살아가면서 의지할 수 있는 것이 필요하답니다.'

나는 그만 그녀에게 '저 소리가 들리지 않습니까.'라고 소리칠 뻔했어. 우리 주변을 에워싸고 있던 어둠이 끈질기게 속삭이며 그 소리를 되풀이하는 듯했고, 그 속삭임은 마치 바람이 처음 일기 시작할 때처럼 위협적으로 부풀어 오르는 듯했어.

'무서워! 무서워!'

'제가 의지하며 살아갈 수 있도록 그분이 남긴 마지막 말씀을 들려주세요.' 그녀가 고집스럽게 말하더군. '제가 그분을 사랑했다는 것을 아시잖아요. 저는 그분을 사랑했어요. 그분을 사랑했다고요!'

나는 마음을 가다듬고 천천히 말했어.

'그분의 마지막 한마디는 당신의 이름이었습니다.'

가벼운 한숨 소리가 들리더군. 그러자 끔찍한 희열의 외침, 생각조차 하기 어려운 승리와 말할 수 없는 고통이 섞인 외침 소리에 내 심장은 갑자기 고동을 멈추는 듯했어. '저도 그럴 줄 알았어요. 그렇게 믿고 있었다고요……' 그녀는 알고 있었어. 확신하고 있었던 거야. 그녀의 울음소리가 들리더군. 그녀는 두 손으로 얼굴을 가리고 있었어. 내가 그 자리에서 도망쳐 나오기 전에 그 집이 허물어지고 내 머리 위로 하늘이 무너져 내릴 것 같았어. 그러나 물론 아무 일도 없었지. 그런 사소한 일로 하늘이 무너질 리 있겠나. 내가 커츠를 올바로 대접해서 그가 실제로 한 그 무서운 말을 그녀에게 들려주었더라도 하늘이 무너졌을까 싶어. 커츠는 자기가 올바로 대접받기를 원할 뿐이라고 말하지 않았던가? 하지만 나는 그를 그렇게 대접할 수 없었어. 나는 그녀에게 진실을 말할 수 없었던 거야. 그 말이 그녀를 너무 암담하게 했을 테니까. 정녕 너무 암담했을 거야."

말로는 이야기를 마치고 명상에 잠긴 부처 같은 자세로 말 없이 희미한 모습을 보이며 떨어져 앉아 있었다. 한동안 아무도 꼼짝하지 않았다. "우리가 그만 썰물이 시작되는 것도 모르고 있었군." 갑자기 중역이 말했다. 내가 머리를 들어 바라보니 시커먼 구름이 앞바다를 둑처럼 가리고 있었다. 그리고 이 세상이 끝나는 곳까지 갈 수 있는 그 고요한 물길은 잔뜩 흐린 하늘 아래서 침통히 흐르고 있었고 어떤 엄청난 암흑의 핵심으로 통해 있는 듯했다.

자기 발견을 향한 정신적 여정

1

조지프 콘래드는 『자전적 기록(A Personal Record)』이라는 회고록에서 어린 시절에 지도를 볼 때마다 당시까지 공백으로 남아 있던 아프리카의 중앙 부분을 손가락으로 짚으며 장차 그곳에 가 보겠다고 다짐했다고 한다. 그 소망대로 그는 1890년에 콩고강을 운항하는 기선의 선장이 되었는데 그 시절의 경력은 오랜 꿈의 실현으로 그치지 않았다. 비교적 짧은 기간이었으나 그때의 체험은 그의 삶과 생각에 많은 영향을 주었고, 이 점은 그의 서간문에서 간명하게 피력되었다. 비평가 에드워드 가넷에게 보낸 편지에서 그는 콩고에 가기까지 자기 머릿속에 아무 생각도 들어 있지 않았으므로 철저히 "짐승" 같은 존재에 불과했다고 말했다. 이 고백이 허사(虛辭)가 아니라면 콘래드에게 콩고 경력은 훗날 삶과 사회를 보는 그의 안목에 깊은 영향을 주었고 한 인간으로 성장하는 데에도 결정적 자산이 되었을 것이라는 추론이 가능하다.

『암흑의 핵심(Heart of Darkness)』은 콘래드의 콩고 체험을 소재로 쓰인 소설이다. 하지만 여느 자전적 소설과 달리 이 작품의 서술 형식은 작가 콘래드가 어느 날 저녁 유람선 위에서 몇몇 친구들과 함께 말로라는 선원의 이야기를 듣고 옮겨 쓴 것으로 되어 있다. 그러므로 콘래드는 자기 이야기를 하되 직접 하지 않고 말로라는 선원 이야기꾼의 이야기라는 프레임을 빌려 자신의 체험담을 들려주는 셈이다. 하지만 『암흑의 핵심』에 수록된 내용을 고스란히 콘래드의 전기적 사실과 동일시하는 데에는 물론 문제가 있다. 왜냐하면 이 작품의 성격은 기본적으로 자서전적이지만 소설 문학 본연의 허구적 속성도 다분히 띠고 있기 때문이다. 콘래드 자신도 『암흑의 핵심』을 전집에 수록할 때 쓴 「작가 노트」에서 이 작품은 체험을 기록한 것이되 이야기가 독자들에게 더 잘 와닿을 수 있도록 내용을 약간 바꾸기도 했다고 말했다. 그리고 콘래드와 가까웠던 동료 작가 포드 매덕스 포드도 『청춘(Youth)』, 『암흑의 핵심』 및 『로드 짐(Lord Jim)』 등에 등장하는 서술자 말로는 콘래드와 동일인이지만 여느 이야기꾼들처럼 "듣는 이들의 공감을 사기 위해 이야기를 교묘히 바꾸곤 했다."라고 회상한다.

서술자 말로가 담당하는 역할이나 기능도 위에서 살펴본 이야기의 성격과 비슷한 맥락에서 이해할 수 있다. 말로와 작가 콘래드 사이에서는 상당 부분이 공유되는 동시에 일정 부분의 차이도 있을 수 있다. 이 점과 관련해 콘래드가 「작가 노트」에서 말로는 "한 영리한 가리개이고, 단순한 장치에 불과하며, '분장인(扮裝人)'이기도 하다."라고 말한 것을 주목할 만하다. 왜냐하면 이 말은 콘래드가 자신의 페르소나 격인 말로의 입을 빌려 자기 자신을 현시(顯示)함으로써 이야기와 자기 사이에 일정한 거리를 유지하는 동시에 더러는 각색과 분장을 방편 삼아 자기 은폐를 하거나 구애받지 않는 창의적 서술을 꾀하기도 했다는 뜻이기 때문이다.

이처럼 콘래드의 실제 체험과 말로의 이야기 사이에는 엄연한 차이가 있을 수 있지만, 말로의 이야기가 어느 정도로 콘래드 자신의 체험과 일치하고 어느 정도로 허구화되었느냐는 물음에 답하기는 쉽지 않다. 왜냐하면 콘래드의 전기 작가들이 많은 객관적 자료들을 근거로 그의 콩고 시절을 공들여 기술했음에도 불구하고 콘래드의 실제 체험과 말로의 이야기 사이의 일치점과 차이점을 분명히 가려내기는 어렵기 때문이다. 그러므로 그런 차이를 세세히 가리는 일은 전문 비평가들의 몫으로 남기고, 여기서는 말로가 무엇보다도 콘래드의 대변인이며 콘래드는 말로의 입을 빌려 하고 싶은 이야기를 비교적 자유로이 늘어놓았다고 단순화해서 생각하겠다.

서술자 말로에 대한 논의를 맺기 전에 한 가지 짚고 넘어가고 싶은 것은 그의 이야기 특유의 성격이다. 여느 이야기꾼들의 이야기는 호두 껍데기를 깨면 그 속에서 나오는 알맹이 같은 것이어서 쉽게 파악되는 데 비해 『암흑의 핵심』에서는 말로의 이야기가, 콘래드의 비유를 빌리건대, 달을 에워싼 달무리처럼 껍데기 밖으로 번져 나온다. 그의 이야기가 일종의 주술적(呪術的) 힘을 가진 듯이 독자에게 다가오는 것도 바로 그런 '달무리' 효과 때문이 아닐까 싶다. 따라서 일반 독자가 더러는 말로의 이야기를 읽는 데 어려움을 겪을 수도 있지만, 온전히 읽기 위해 응분의 노력을 들이는 독자라면 말로의 이야기가 자아내는 분위기에 홀린 듯이 빠져들 테고 그 결과 삶에 대한 귀중한 통찰까지 성취할 수 있을 것이다.

2

『암흑의 핵심』의 줄거리는 서술자 말로가 아프리카의 벨기에령(領) 콩고에서 기선 선장으로 취직한 후 우여곡절 끝에 콩고강 상류의 오지까지 배를 몰고 가서 커츠라는 병약한 주재원을 데리고 나온다는 이야기이므로 단순한 탐험담으로 읽힐 수도 있다. 하지만 이 소설을 펴 드는 사람들은 그렇게 하기 어렵다는 것을 이내 알게 된다. 왜냐하면 여느 탐험담과는 달리 이 소설은 단순히 사건 중심의 흥미로운 이야기가 아니고 대목대목에서 독자들로 하여금 삶의 본질에 대한 깊은 사색과 성찰을 하게 하기 때문이다. 이 점은 이야기의 서두에서 말로가 커츠와의 만남을 "내 체험의 절정"이라고 하면서, 그것이 "내 주위의 모든 것에 대해, 그리고 나 자신의 사상 속에 일종의 빛을 던져 주는 듯했어."라고 서술하는 대목에서 이미 명시적으로 드러난다.

말로가 콩고에 처음 도착했을 때 그는 퇴락하는 서구 문명의 잔재들과 식민지를 경영하는 백인들의 우스꽝스러운 작태를 접하고 적이 실망한다. 그러나 자기에게 부여된 사명이 오지의 주재원 커츠를 찾아 문명 세계로 데리고 나오는 일임을 알았을 때 그는 어느새 자신이 아직 만난 적도 없는 이 주재원에게 관심을 쏟게 된다. 현지의 회사원들은 커츠를 "일급 주재원"이라든가 아주 주목할 만한 인물이라고 여기기 때문에 커츠에 대한 말로의 관심도 그만큼 더 깊어진다. 그래서 여러 달에 걸쳐 콩고강을 거슬러 올라가는 동안 말로는 이 오지의 주재원에게 부지불식간에 친밀감까지 느끼며 그와 상면할 날을 고대한다.

커츠는 회사를 위해 가장 능률적인, 따라서 원주민에게는 가장 잔혹한 상아 수집상이지만 처음 아프리카로 나왔을 때는 "연민과 과학과 진보의 사자(使者)"를 자처하였고 "모종의 도덕적 이념"까지 갖추고 있었다. 하지만 오랫동안 식민지에서 수탈에 몰두하는 동안 그는 정신적 타락을 겪고 끝내 자기 탐욕을 충족하기 위해 자제력을 상실한 나머지 인격적으로나 도덕적으로 심각한 결함을 드러낸다. 그러므로 회사의 지배인이 그의 수탈 방법을 "건전치 않"다고 낙인찍는 것도 어떤 의미에서는 정당화될 수 있다. 그리고 우리는 이 소설의 표제이며 중심 이미지인 "암흑의 핵심"도 결국 커츠의 타락한 심성을 가리키는 은유가 아닐까 생각하게 된다.

회사의 지배인과 몇몇 백인들이 커츠를 적대시하거나 경계함에도 불구하고 말로는 커츠를 만나기도 전부터 이미 자신이 커츠와 한편인 것처럼 여긴다. 그러므로 두 사람이 처음으로 상봉할 때 말로가 커츠를 낯선 사람으로 여기지 않는 것도 당연하다. 식인(食人) 풍습을 암시하는 "차마 입에 담을 수 없는 의식"을 포함한 일련의 타락적 행위에 탐닉해 온 커츠에게서 말로는 "도덕적 충격"을 받지만, 그에 대한 말로의 연대 의식은 조금도 흔들리지 않는다. 오히려 그는 커츠의 그 "믿기 어려운 타락"에도 불구하고 그를 미치광이라고 생각하지 않으며 그에게 미쳐 버린 부분이 있다면 그것은 그의 영혼뿐이라고 여긴다. 이처럼 말로는 콩고의 백인 사회에서 심각한 도덕적 고립을 자초하면서까지 커츠와 자기를 동일시한다. 이는 그가 일종의 "악몽"을 선택했음을 의미하지만 어디까지나 그것은 자발적인 선택이다.

두 사람 사이의 심령적 결합은 말로가 커츠의 죽음을 지켜보는 자리에서 이루어진다. 강을 따라 내려가는 기선에서 죽음을 맞게 된 커츠는 오만과 권세, 공포와 절망이 교차하는 표정으로 말로를 매혹한다. 그리고 말로가 보기에 "완벽한 앎"을 반영하는 듯한 그 절정의 순간에 커츠는 "무서워! 무서워!"라고 외친 후 숨을 거둔다. 말로는 그 소리를 "이 지상에서 자기 영혼이 겪은 모험에 대해 판결을 내린" 것이라고 여기면서 이런 판결을 내릴 수 있었던 커츠야말로 삶의 의미에 대한 자기 나름의 궁극적 깨우침에 도달했을 것이라고 단정한다. 그러나 대개 이런 깨우침은 너무 늦게 이루어진다는 것을 아쉬워하며 말로는 다음과 같이 말한다.

우리가 인생에서 희망할 수 있는 최선의 것은 우리 자아에 대한 약간의 앎이지. 그런데 그 앎은 너무 늦게 찾아와서 결국 지울 수 없는 회한(悔恨)이나 거둬들이게 돼.

말로가 보기에 "무서워! 무서워!"라는 커츠의 절규는 이런 회한의 극단적 표현인 동시에 그가 자아의 정체에 대해 상당한 수준의 앎을 성취했다는 증거이기도 하다. 말로는 이 절규야말로 "모종의 믿음을 표현한 말"이요, "흘낏 엿보인 진실의 끔찍한 표정"이므로 이 절규를 통해 커츠는 정신적으로 "마지막 한 걸음을 성큼 내디디며 죽음의 문턱을 넘어갔"다고 믿는다. 그는 또 이 외침이 무서운 도덕적 타락과 무수한 패배를 대가로 치르고 나서야 달성한 "하나의 긍정"이요, "하나의 도덕적 승리"라고 확신한다.

말로는 이처럼 커츠와 자기를 동일시함으로써 커츠의 영혼이 겪은 모험을 대리 체험 하고, 커츠의 도덕적 결함은 곧 자신의 결함일지도 모른다는 자각에 이른다. 그러나 커츠의 죽음을 지켜본 후에도 말로는 여전히 궁극적 자기 인식에는 도달하지 못하다가 스스로 열병에 걸려 죽음의 문턱을 넘나드는 위기를 겪고 나서야 비로소 커츠의 절규에 함축된 계시적 의미를 어느 정도 파악할 수 있게 된다. 그뿐 아니라 그는 자아의 삶과 주위 세계에 대해서도 상당한 수준의 인식을 성취할 수 있게 된다.

말로에게는 커츠와의 만남이 어떤 '암흑의 핵심' 같은 존재와의 만남이었음이 분명하지만, 그 만남을 통해 그는 자기 삶을 조명하는 한 가닥의 빛과 그에 수반되는 자신감을 얻을 수 있었다. 그러므로 아프리카에서 유럽으로 돌아간 그는 아프리카를 향해 떠날 때의 말로가 아니다. 커츠라는 인물과의 만남이라는 "체험의 절정"을 몸소 겪고 나자 마치 어둠 속에서 일종의 빛을 본 듯이 만물의 의미가 그의 눈에 환히 드러났기 때문이다. 따라서 유럽의 백인 사회로 돌아간 그는 그곳에서 안전하게 평온한 삶을 사는 사람들의 자기 인식 수준이 천박하다고 얕보며 그들에게 경멸의 눈초리를 보낸다.

이제 콘래드가 콩고에 가기 전에 자신이 짐승 같은 존재에 불과했다고 한 말의 뜻이 어느 정도 드러났으리라 믿는다. 실로 그의 아프리카 체험은, 말로의 이야기에 잘 소설화되어 있는 것처럼, 목숨을 건 모험이었다. 그것은 '경찰'이 안전을 보장해 주고 '푸주한'이 먹을 것을 공급해 주는 문명 사회에서의 안온한 삶을 마다하고 삶의 궁극적 의미를 찾아 대담하게 나설 수 있는 사람들에게만 허용되는 귀중한 모험이다. 안온한 삶은 그것에 탐닉하는 사람들에게 좀처럼 자기 성찰의 기회를 허용하지 않는다. 그런 삶에 안주하면서 자아에 대한 성찰을 게을리하는 한 인간은 삶에 대한 궁극적 깨우침에 이르지 못하고 끝내 바보로 남게 되기 때문이다. 말로가 자기 이야기의 어느 한 대목에서 "바보는 (……) 늘 안전할 수 있"다고 주장하는 소이(所以)도 바로 여기에 있다. 『암흑의 핵심』이 독자들에게 가슴 뿌듯이 읽힐 수 있는 것도 무엇보다 서술자 말로 혹은 작가 콘래드가 바보나 짐승의 경지에 머물기를 거부하고 육신과 정신의 고통을 감수하며 인간적으로 성숙하는 이야기가 자아내는 소중한 메시지 덕분이 아닐까 싶다.

3

콘래드는 한 에세이에서 자신이 콩고에 머무는 동안 "일찍이 인간의 양심과 지리적 탐험의 역사를 훼손시킨 약탈 행위 중에서도 가장 간악한 사례"를 목격했다고 말했다. 이는 우리가 『암흑의 핵심』을 읽는 또 하나의 길이 있음을 시사하지만 이 구절만 가지고 콘래드의 정치적 견해를 단순화하여 반제국주의나 반식민주의라고 속단할 수는 없다. 그는 이 소설을 쓴 이후에도 『노스트로모(Nostromo)』와 『비밀 정보원(The Secret Agent)』같이 정치적 색채가 짙은 중요 작품을 썼고 이 장편 소설들에서도 반제국주의, 반독재 및 무정부주의 전망이 심상치 않게 부각되지만, 이런 소설들을 섣불리 정치 소설이라고 간주할 수는 없다. 『암흑의 핵심』도 예외가 아니며, 이 점은 말로의 이야기 서두에서 어느 정도 확인할 수 있다. 그는 고대 로마인들의 영국 정복에 대해 다음과 같이 말한다.

그들은 정복자들이었어. 정복자가 되기 위해 필요한 것은 포악한 힘뿐인데 그런 힘을 가진 것이 자랑거리는 아니야. (……) 그들은 그저 얻을 수 있는 것을 얻기 위해 손에 잡히는 것을 다 움켜잡았을 뿐이야. 그것은 폭력적인 강도 행위요, 대규모로 자행되는 흉측한 살인 행위에 불과했는데, 사람들은 맹목적으로 그 행위에 덤벼들었어. (……) 이 세계의 정복이라는 것이 대부분 우리와는 피부색이 다르고 우리보다 코가 약간 낮은 사람들에게 자행하는 약탈 행위가 아닌가. 그러므로 그 행위를 곰곰이 들여다보면 아름답지 않아. 이 꼴사나운 행위를 대속 (代贖)해 주는 것은 이념밖에 없어. 그 행위 이면에 숨은 이념 이지. 감상적인 구실이 아니라 이념이라야 해. 그리고 그 이념 에 대한 사심 없는 믿음이 있어야지. 이 이념이야말로 우리가 설정해 놓고 그 앞에서 절하며 제물(祭物)을 바칠 수 있는 무엇 이거든…….

위 인용문은 말로 혹은 콘래드가 제국주의에 대해 가지고 있었으리라 여겨지는 신념의 성격을 짐작하게 한다. 우선 전 반부에서 제국주의의 침탈 행위를 곱지 않은 눈으로 보던 말 로가 후반부에서는 그 행위를 대속하는 "이념(the idea)"이 있 을 경우 그 행위가 정당화될 수도 있다는 견해를 넌지시 비친 다. 그러나 그 이념의 정체가 무엇인지는 분명하게 드러나 있 지 않다.

한편 콩고에서는 백인들이 자기네의 수탈 행위를 정당화하 는 기준으로 "대의명분(the cause)"을 빈번히 내세우지만, 그것 역시 정확히 무엇을 가리키는지 분명치 않다. 그뿐 아니라 "발 전이랍시고 내세우는 대의명분"이라든가 "그 고귀하고 정당한 법 절차라는 위대한 대의명분"이라는 구절에서 볼 수 있듯이 말로의 어투가 반어적 색채를 띠고 있으므로 이 대의명분이, 적어도 말로에게는, 침탈 행위를 정당화해 줄 수 있는 이념이 될 수 없음이 분명하다.

그러므로 우리는 불가불 이 이념의 정체를 찾아 처음 아프 리카로 건너가던 때의 커츠 쪽을 향하게 된다. 무엇보다 그가 국제야만풍습억제협회라는 단체를 위해 작성했다는 보고서를 통해 우리는 그 이념의 성격을 짐작할 수 있다. 이 보고서는 그가 "차마 입에 담을 수 없는 의식"을 주관한다든지 "모든 야만인들을 말살하라!"라고 부르짖는 등의 정신적 타락을 겪기 전에 작성된 것이므로 그가 아프리카에 도착한 후 얼마되지 않았던 시절의 신념을 반영할 텐데, 그 보고서의 내용을 말로는 다음과 같이 요약한다.

그 보고서의 첫 단락이 지금은 불길하게 여겨지기도 해. 그의 주장이 이렇게 시작되었거든. 우리 백인들이 그간 이루어 놓은 발전을 출발점으로 삼아 "그네들 야만인에게는 마땅히 초자연적인 존재인 것처럼 보여야 하고, 하느님 같은 힘을 과시하면서 그들에게 접근해야 한다." 등의 내용이 바로 그거야. 그리고 "우리는 단순히 의지를 행사하기만 해도 실제로 무한한 이익을 위한 능력을 발휘할 수 있다." 등의 구절도 있었지. 바로 여기서부터 그의 어조는 고양되어 나를 사로잡기 시작하더군. 지금 기억하기는 어려우나 보고서의 맺음말은 화려했어. 위엄 있는 선의(善意)를 가지고 그 거대한 이국적(異國的) 세계를 통치해야 한다는 생각이 담겨 있었어. 그 구절을 읽으니까 나도 열광하지 않을 수 없더군.

이 대목에 요약되어 있는 이념이라면 콘래드 당대에 식민지로 진출한 여느 지식인의 이념과 그리 다를 바 없었으리라 여겨진다. 왜냐하면 이 보고서는 "온갖 종류의 이타적(利他的)

감정에 감동적 호소"를 하고 있음에도 불구하고, 또 계몽 혹은 문명화라는 "선의"의 목표를 앞세우고 있음에도 불구하고, 식민지에 군림하여 경제적 수탈을 무자비하게 추구하던 제국주의 이념을 그대로 드러내기 때문이다. 그뿐 아니라 커츠의 이념은 콩고에 주재하는 다른 백인들의 입에 발린 "대의명분"과도 수사(修辭)의 차이는 있을지 모르나 실질적으로는 별로 차이가 없다.

물론 그의 이념이 말로가 가지고 있었을 이념과 동일시될 수 있는지를 놓고는 무어라고 단정해서 말하기 어렵다. 특히 말로는 콩고에서 백인들이 원주민에게 무분별한 폭력을 자행한다든가 상아 수집에 혈안이 된 것을 보고 도덕적 충격을 받는 것이 분명하기 때문에 그의 이념은 커츠의 이념과 다르지 않겠느냐는 생각이 든다. 그러나 위 인용구의 마지막 대목에 명시적으로 나타나 있는 것처럼, 말로의 이념도 본질적으로는 커츠의 그것과 차이가 없어 보인다. 만약 차이가 있는 것으로 비친다면 그것은 타고난 비판적 성향이 그로 하여금 당대의 콩고에서 마주친 상황을 일단은 삐딱한 눈으로 보게 하기 때문이다. 그리고 그가 콩고에서 원주민들이 백인들에게 당하는 부당한 처우를 보고 분격한다면 그것은 그의 순진한 "이타적 감정"이나 타고난 인도주의 때문이지 그가 만민 평등주의나 반제국주의 같은 이념을 신봉하기 때문은 아니다.

말로의 제국주의관은 그가 아프리카로 가기 전에 브뤼셀의 회사 사무실에서 세계 지도를 들여다보는 대목에서도 은연중에 드러난다. 그는 영국의 식민지를 가리키는 것이 분명한 붉은색 지역을 바라보면서 "그곳은 언제 보아도 우리를 흐뭇하게 하지. 거기서는 어떤 실질적 사업이 진행되고 있다는 것을 우리가 알기 때문이야."라고 말한다. 여기서 그는 마치 영국의 제국주의가 여타 유럽 국가의 그것과 다를 것임을 넌지시 비치지만, 그 차이점이 무엇인지 그리고 대영제국에서 벌이고 있다는 "실질적 사업"이 당대의 전형적 제국주의 이념과 어떻게 다른지는 가늠할 길이 없다.

그렇다면 앞서 인용한 말로의 대속적(代贖的) 이념도 결국 별것 아니잖느냐는 생각이 든다. 그 이념은 제국주의에 내재하면서 그것을 덜 불미롭게 하는 요인으로 작용하는 무엇이라기보다 제국주의의 외면에서 그것을 덜 추잡해 보이도록 호도하는 무엇이 아닐까 싶다. 이를테면 제국주의의 궁극적 목적인 영토 팽창과 경제적 수탈 문제는 차치한 채 그 과정에서 빚어질 수 있는 부정적 요소들을 보상하거나 호도하기 위해 동원될 수 있는 이념이 바로 말로가 말하는 대속적 이념인 듯하다. 이 이념은 원주민의 개화라든가 기독교의 전파 같은 것을 최고의 가치로 내세웠을 것이며, "우리는 너희의 발전과 향상을 위해 이곳에 왔으므로 우리가 너희를 다스리는 한 너희는 행복하다."라는 식의 슬로건이나 치켜들고 있을 것임이 분명하다.

서술자 말로가 비록 제국주의의 종말을 촉구하는 깃발을 앞세우지는 않으나 『암흑의 핵심』에는 제국주의가 언젠가 종식될 것이라는 예언적 전망이 깔려 있다. 이 전망은 무엇보다 콩고의 밀림이라는 자연환경의 묘사를 통해 빈번히 제시된다.

백인 침략자들에 대해 무력하기만 한 원주민들과 달리 밀림은 하나의 저항 세력인 것처럼 그려진다. 이를 테면 말로가 보기에 밀림은 "위대하고 정복될 수 없는 모습"으로 "어처구니없는 침략이 종식되기를 참을성 있게 기다리고" 있는 듯했다. 그뿐 아니라 밀림이 비록 아무 말도 하지 않았지만 그 정적에는 침입자들에 대한 적개심이나 복수심이 이글거리고 있었다. 그러므로 무모하게 밀림 속으로 찾아온 커츠가 끝내 극단적 타락과 파멸의 길을 걷는 것도 모두 밀림의 무자비한 보복적(報復的) 역량 때문이라는 시사가 작품에 드러나 있다.

이처럼 콘래드는 제국주의의 종말을 명시적으로 절규하는 대신 암시적으로 예언하고 있다. 그는 몇 년 후에 쓴 『노스트로모』의 끝부분에서도 코스타구아나에는 평화와 안정이 찾아왔고 물질적 이익이라는 제국주의 이념이 궁극적 승리를 거두었지만 신생 옥시덴탈 공화국의 장래는 결코 평탄치 않을 것이라는 여운을 강하게 남기는데, 이 대목도 작가 콘래드의 예언적 전망을 잘 드러낸다고 할 수 있다. 제국주의뿐 아니라 독재 정치에 대해서도 콘래드는 비슷한 태도를 보인다. 즉 그는 명시적 반대보다는 암시적 수법을 통해 독재 정치의 폐해를 규탄하며, 이 점은 『서구인의 눈으로(Under Western Eyes)』이라든가 『비밀 정보원』 같은 장편 소설에서 주인공들의 비극적 운명을 그려 내는 가운데 형상화된 그의 반독재적 전망에서 확인할 수 있다.

4

　지금까지 살펴본 대로 말로 혹은 콘래드의 정치적 이념이 본격적 반제국주의와는 거리가 멀지만 『암흑의 핵심』은 제국주의를 규탄하는 문서로 상당한 무게를 지닌다. 그러므로 콘래드가 『암흑의 핵심』에서 당대의 식민주의를 외면했다며 매도한다면 쉽게 납득할 수가 없다. 특히 이른바 탈식민주의 비평 이론의 신봉자들이 콘래드의 '한계'를 들먹이며 불만을 토로하는 것은 안타까운 일이다. 이를테면 사이드는 『암흑의 핵심』을 거론하면서 제국주의의 정체를 목격한 콘래드가 원주민들이 유럽의 지배를 벗어나서 자유로운 삶을 영위할 수 있도록 제국주의가 종식되어야 한다는 결론을 내리지 않은 것이야말로 이 작가의 "비극적 한계"라고 단정했다. 그러나 이런 비평적 독단은 20세기 말엽의 국제 정치적 잣대를 가지고 19세기 말엽 지식인 작가의 정치적 소신을 재단(裁斷)하려 한 사례로서 결코 공평한 처사라고 할 수 없다.

　콘래드는 정치 소설이라 일컬어질 만한 작품을 여러 편 썼지만 그의 목표는 '정치'에 있지 않고 '소설'에 있었다. 그는 정치적 이념을 선양하기 위해 소설 쓰기라는 방편을 빌린 것이 아니라 소설을 쓰기 위해 정치적 상황을 빌려 썼을 뿐이다. 그가 소설에서 궁극적으로 추구한 것은 인간성과 인간의 운명이었으며 정치적 상황이 그런 것들을 가장 잘 조명할 수 있다고 믿었기 때문에 정치적 성격을 띤 작품을 썼을 뿐이다. 그러므로 그가 제국주의와 독재 정치의 폐해를 신랄하게 폭로하면서도 그것을 종식할 방책까지 넘보지 않은 것은 당연하다. 그러나 그가 쓴 정치 소설들이 정치적 선동 구호가 가득 담긴 여느 논설문들보다 제국주의와 독재 정치의 정체를 고발하고 그것을 종식하는 데 기여할 문서로는 더 효과 있고 더 위력적일 수도 있지 않을까 싶다.

여기서 우리는 콘래드의 지근한 친구였던 포드 매덕스 포드가 콘래드를 가리켜 "그는 정치학도였지만 아무 처방이나 도그마도 없었으며…… 인간 제도의 완벽성에 대해 깊이 불신하고 있었다."라고 한 말을 귀담아들을 필요가 있다. 콘래드가 정치적으로 아무 처방이나 도그마를 가지고 있지 않다는 것은 그가 인간 제도의 불완벽성에 대한 회의주의적 견해를 가지고 소설을 쓰는 데 아무 흠결이 될 수 없다. 그런데도 『암흑의 핵심』이 정치적 도그마나 처방을 제시하지 않는다는 이유로 참된 '정치 소설'이 될 수 없다며 이 작품의 가치를 폄하하려 든다면 그야말로 문학을 정치적 팸플릿과 혼동하는 그릇된 처사라고 하지 않을 수 없다.

『암흑의 핵심』은 무엇보다 문명 사회가 보장하는 안이한 삶을 박차고 나온 후 아무나 쉽게 넘볼 수 없는 높은 경지의 정신적 여정을 겪음으로써 궁극적 자기 발견을 성취할 수 있었던 한 깨어 있는 인간의 자기 탐구담이다. 그리고 이 소설이 독자들에게 감동적일 수 있다면, 그것은 이 작품이 작가 자신의 생생한 체험담이기 때문만이 아니고 서술자 말로의 이야기에 귀를 기울이는 동안 독자들까지 그의 정신적 탐구에 간접적으로나마 동참할 수 있기 때문이다. 그 결과 우리는 인간성에 내재하는 선과 악의 문제라든가, 개인이 사회와 맺는 관계 및 삶의 궁극적 의미를 새로이 인식할 수도 있다.

1998년 8월,

이상옥

2021년에 이 개정판을 내며 초판의 미심한 대목들을 고쳤음을 밝혀 둔다. 아울러 충실한 개정판을 위해 여러 가지 지적을 하는 한편 진부한 어법을 바로잡아 주신 민음사의 편집진에 감사드린다.

작가 연보

1856년 폴란드인이었던 아버지 아폴로 코제니오프스키와 어머
니 에바 보브로프스카가 결혼했다.

1857년 12월 3일에 조지프 콘래드가 태어났다. '조지프 콘래
드'는 필명이고, 본명은 유제프 테오도르 콘라트 코제
니오프스키(Józef Teodor Konrad Korzeniowski)이다.

1861년 아버지가 조국 폴란드를 위한 정치 활동을 한 죄명으
로 제정 러시아 관헌에 체포당했다.

1862년 가족 전원이 북부 러시아의 볼로그다로 유배되었다.

1865년 어머니 별세. 콘래드는 이 무렵에 가정 교사에게 프랑
스어를 배웠다.

1866년 외삼촌 타데우스 보브로프스키의 집에서 여름을 보
냈다.

1868년	콘래드 부자가 르보프로 이주했다.
1869년	아버지 별세. 콘래드는 외삼촌의 후견 아래 크라쿠프에서 김나지움에 다녔다.
1873년	가정 교사와 함께 스위스를 여행했다.
1874년	선객 자격으로 몽블랑호에서 첫 항해를 체험했다.
1875년	몽블랑호의 견습 선원이 되어 서인도 제도를 항해했다.
1876년	생앙트완호에 취사 담당으로 취업해서 서인도 제도를 항해했다. 훗날 『노스트로모(Nostromo)』의 무대가 된 남미의 일부 지역으로 무기를 밀수한 것으로 알려져 있다.
1877년	서류 미비로 마르세유에서 프랑스 선박 취업을 금지당하고 빚을 지게 되었다.
1878년	권총 자살 미수. 외삼촌이 콘래드가 진 빚을 청산해 주었다. 영국으로 건너가서 호주행 영국 범선에 평선원으로 취업했다. 처음으로 영어를 익히기 시작했다.
1880년	이등 항해사 자격시험 합격. 시드니행 범선의 간부선원으로 취업했다.
1881년	기선 팔레스타인호의 이등 항해사로 취업했다.
1883년	훗날 『청춘(Youth)』에 묘사된 화재 사건을 팔레스타인호에서 체험했다.
1884년	나르시서스호로 봄베이 항해. 일등 항해사 자격 시험에 합격했다.
1886년	영국 시민으로 귀화. 선장 자격 시험에 합격했다. 영어로 단편 소설 집필을 시도했다.

1887년	동남아 항해. 훗날 작품의 모델이 된 인물들을 만났다.
1888년	오타고호의 선장으로 임명되어 싱가포르, 시드니, 모리셔스 등지를 항해했다.
1889년	영국으로 귀환. 『올마이어의 어리석음(Almayer's Folly)』 집필을 시작했다.
1890년	폴란드의 외삼촌을 방문한 후 브뤼셀로 가서 벨기에령 콩고강을 왕래하는 기선의 선장으로 임명받고, 『암흑의 핵심(Heart of Darkness)』에 그려진 상황을 체험했다.
1891년	콩고에서 병을 얻어 연초에 귀국, 런던과 제네바 등지에서 요양했다.
1892년	기선 토런스호의 일등 항해사로 호주에서 귀항하던 도중에 선상에서 영국 소설가 존 골스워디를 만났다.
1895년	첫 작품인 『올마이어의 어리석음』을 출간했다.
1896년	제시 조지와 결혼했다.
1897년	미국 소설가 스티븐 크레인을 만났다. 『나르시서스호의 검둥이(The Nigger of the 'Narcissus')』를 출간했다.
1898년	맏아들 보리스가 태어났다.
1899년	『암흑의 핵심』을 발표했다.
1900년	『로드 짐(Lord Jim)』을 출간했다.
1904년	『노스트로모』를 출간했다.
1906년	산문집 『바다의 거울(The Mirror of the Sea)』을 출간했다. 차남 존이 태어났다.
1907년	『비밀 정보원(The Secret Agent)』을 출간했다.

1908년	신경쇠약 증세가 나타나기 시작했다.
1910년	중편 소설 「비밀 동숙자(The Secret Sharer)」를 발표했다.
1911년	『서구인의 눈으로(Under Western Eyes)』를 출간했다.
1912년	『사사로운 기록(A Personal Record)』을 출간했다.
1913년	장편 소설 『기연(Chance)』이 미국에서 성공을 거두었다.
1915년	『승리(Victory)』를 출간했다.
1917년	『그림자 선(The Shadow Line)』을 출간했다.
1921년	『삶과 문학에 대한 노트(Notes on Life and Letters)』를 출간했다.
1924년	조각가 제이콥 엡스틴이 콘래드의 흉상을 제작했다. 현재 런던 국립초상화미술관에 소장 중이다. 8월 3일 향년 예순일곱 살에 심장 마비로 별세하여 캔터베리에 묻혔다.

세계문학전집 **7**

암흑의 핵심

1판 1쇄 펴냄   1998년 8월 5일
1판 53쇄 펴냄   2021년 2월 23일
2판 1쇄 펴냄   2021년 12월 15일
2판 3쇄 펴냄   2024년 3월 18일

지은이   조지프 콘래드
옮긴이   이상옥
발행인   박근섭, 박상준
펴낸곳   (주)민음사

출판등록   1966. 5. 19. (제 16-490호)
서울특별시 강남구 도산대로1길 62(신사동) 강남출판문화센터 5층 (우편번호 06027)
대표전화 02-515-2000   팩시밀리 02-515-2007
www.minumsa.com

© 이상옥, 1998, 2021. Printed in Seoul, Korea

ISBN 978-89-374-6007-4 04800
ISBN 978-89-374-6000-5 (세트)

세계문학전집 목록

세계문학전집은 계속 간행됩니다.